200 Italian Verbs

Compiled by
LEXUS
with
Andrew Wilkin

PREFACE

200 Italian Verbs presents 200 fully conjugated Italian verbs arranged in alphabetical order and numbered for quick and easy reference.

The 34-page introduction provides a clear guide to basic grammatical points, explains the use of tenses and moods, and is illustrated with numerous useful examples. The introduction also covers the use of:

- The passive
- The subjunctive
- The past participle
- The gerund
- The infinitive
- Verb constructions with prepositions
- Negative constructions

Other valuable features include:

- An index of parallel structures for over 2,000 verbs
- Important information on meanings, structures and grammatical points
- Useful phrases and idioms for 25 key verbs

This handy guide to Italian verbs and grammatical forms is the ideal reference source for any student or traveler.

INTRODUCTION

A CONJUGATIONS

There are three major conjugation "families" of Italian verbs. For these, in most cases, the ending of the infinitive form determines the conjugation to which the verb belongs.

First Conjugation

Verbs whose infinitive ends in **-are** belong to the first conjugation: eg **abitare, amare, parlare, portare**.

Second Conjugation

Verbs whose infinitive ends in **-ere** belong to the second conjugation. Note especially that this conjugation contains two main sub-types dependent on whether the stress falls on the stem or ending of the infinitive (eg **accendere, credere; godere, vedere**), and that this conjugation contains a significant number of verbs which have irregular elements.

Third Conjugation

Nearly all verbs whose infinitive ends in **-ire** belong to the third conjugation. Note that this conjugation contains two main sub-types dependent on the endings employed in the present tense (eg **dormire, sentire; capire, finire**).

All regular verbs in Italian follow the pattern of one of these major conjugation "families". There is also a "sub-family" of verbs whose infinitives end in **-rre** (for these the reader's attention is drawn to the model verb **condurre**).

The different tenses and moods are formed by adding the appropriate endings to the verb stem. The verb stem is obtained by removing the endings **-are, -ere** or **-ire** from the infinitive.

Models for regular verbs, as well as for a large number of irregular verbs, are to be found in the verb tables. The index of verbs at the end of the book provides the reader with cross-references to model verbs in the tables which conjugate in the same pattern.

Many verbs also have a reflexive form whose infinitive features one of the standard conjugation endings **-are**, **-ere**, **-ire** minus the final **-e** plus the reflexive pronoun **si**, thus giving reflexive infinitives such as **vestirsi**, **lavarsi**, **divertirsi**.

The verb tables also indicate whether a given verb normally takes **avere** or **essere** as its auxiliary verb in compound tenses. In this connection, see AGREEMENT OF THE PAST PARTICIPLE pp. xxvii-xxviii.

B USE OF TENSES IN THE INDICATIVE

1 PRESENT

This tense is used:

a For describing or asking about present situations:

che tempo fa oggi?
what's the weather like today?

oggi il cielo è coperto
the sky is cloudy today

gli alberi sono in fiore
the trees are in blossom

b As the equivalent of the English present progressive tense, describing a simple action:

leggo un romanzo
I'm reading a novel

studiamo l'italiano
we are studying Italian

c When describing a situation which is occurring at the time of speaking:

qualcuno bussa alla porta
there's somebody knocking at the door

la TV è accesa
the TV is on

d When describing habitual, repeated actions:

d'inverno andiamo a sciare
in the winter we go skiing

ogni mattina porto i bambini a scuola
every morning I take the children to school

e In general truths and proverbs:

il denaro è la fonte di tutti i mali
money is the root of all evil

il tempo vola
time flies

tutti i gusti sono gusti
there's no accounting for taste
(literally: all tastes are tastes)

a caval donato non si guarda in bocca
don't look a gift horse in the mouth

f For translating the future when there is a sense of immediacy or when a certain action is planned:

sono subito da Lei
I'll be with you in a minute

la prossima settimana vado a Firenze
I'm going to Florence next week

g When describing or referring to natural phenomena:

la Terra ruota intorno al Sole
the Earth revolves around the Sun

il Po nasce dalle Alpi
the river Po rises in the Alps

h In the "historic present" to add narrative presence to a past event:

Garibaldi si rende conto della situazione e contrattacca
Garibaldi becomes aware of the situation and fights back

ieri vado in città, e chi ti vedo? proprio Giovanni
yesterday I went downtown, and who should I see but Giovanni himself

i In literary quotations and references:

Giacomo Leopardi dice che il dolore è l'unica realtà umana
Giacomo Leopardi says that sorrow is the only human reality

Machiavelli scrive molte lettere da Firenze
Machiavelli writes many letters from Florence

2 PRESENT PROGRESSIVE

The Italian present progressive tense is formed with the appropriate person of the present tense of **stare** followed by the gerund of the main verb (eg **cosa stai facendo?** "what are you doing?"; **sto scrivendo una lettera** "I am writing a letter"). It is used in the following circumstances:

a To indicate that an action is still happening, or is in the process of being done:

sta telefonando in Italia
he/she is making a phone call to Italy

sto mangiando un piatto di spaghetti
I am eating a plate of spaghetti

b When referring to an action started in the past and continuing into the present, although it is not actually happening at the present time:

ultimamente stanno lavorando sodo
lately they are working hard

sto preparando la tesi
I am preparing my thesis

c To indicate that the action is still going on:

stanno ancora mangiando
they are still eating

stiamo ancora considerando quella proposta
we are still considering that proposal

3 FUTURE

The future tense in Italian is used:

a For describing actions that will take place in the future. Note that in English some future references are expressed by the present tense, but that the equivalent Italian requires the use of the future tense:

presto andremo a Milano
soon we'll be going to Milan

quando sarò ricco, mi comprerò una Ferrari
when I am rich, I will buy myself a Ferrari

b In phrases involving probability such as:

questo caffè non sarà troppo forte per mio padre?
would this coffee be too strong for my father?

quanto dista Milano da Bologna? - saranno più di duecento chilometri
how far is Milan from Bologna? - it'll be more than two hundred kilometres

ormai sarà arrivato a casa
he should have arrived home by now

c To give a gentle command:

all'esame risponderete a tre domande
in the exam you will (have to) answer three questions

mi aspetterete qui finché ritorno
you will wait here till I come back

d In expressions where something might be the case or is in doubt:

potrò sbagliare, ma mi sembra di averlo visto in città
I could be wrong, but it seems to me I've seen him downtown

sarà anche vero, ma non ci credo
it may indeed be true, but I don't believe it

dove mai sarà andato/a a finire?
where on earth can he/she have got to?

quando mai arriverà quel treno?
when on earth is that train going to arrive?

e In exclamatory phrases such as:

non ti metterai a lavorare proprio adesso!
you aren't going to start work just now, are you?

non penserai che io abbia potuto fare una cosa simile!
you wouldn't think that I could have done such a thing!

Future references can also be expressed by the present tense, see p. viii.

4 IMPERFECT

This tense is used:

a To describe an unfinished action that was happening in the past:

leggeva il giornale
he/she was reading the newspaper

camminavano lungo la strada
they were walking along the road

b When describing a continuous action in the past which is in contrast to another action that took place at a specific moment in the past:

quando mio fratello tornò, stavamo ancora mangiando
when my brother returned, we were still eating

stavamo cenando, quando il telefono squillò
we were having dinner, when the telephone rang

c When referring to habitual or recurrent actions that used to take place in the past:

l'altr'anno andavamo spesso in piscina
last year we often used to go to the swimming pool

quand'ero bambino mia madre mi portava spesso ai giardini
when I was a child my mother often used to take me to the gardens

d When setting the scene for a story etc:

era una bella giornata
it was a beautiful day

gli emigranti italiani si sistemavano generalmente nelle città principali
the Italian immigrants generally settled in the major cities

5 IMPERFECT PROGRESSIVE

The Italian imperfect progressive is formed using the appropriate person of the imperfect tense of **stare** followed by the gerund of the main verb. It is used to stress the continuing nature of the action described:

stava guardando la TV
he/she was watching TV

stavano studiando insieme
they were studying together

6 PASSATO PROSSIMO

The *passato prossimo* is the compound past tense in Italian used when referring to either a completed action in the recent past, or a completed action in the distant past which retains a correlation to the present:

l'anno scorso siamo andati in America
last year we went to America

ieri a pranzo ho mangiato una pizza
yesterday I had a pizza for lunch

mio nonno è nato settant'anni fa a Roma
my grandfather was born seventy years ago in Rome

mio fratello ha ottenuto un impiego in America dieci anni fa
my brother got a job in America ten years ago

In spoken Italian, the *passato prossimo* is often also used in the north of Italy to refer to past actions with no correlation to the present, while in the south, the *passato remoto* is used for past actions which relate to the present.

7 PASSATO REMOTO

The *passato remoto* is the simple past tense in Italian used to express a completed action in the past which does not retain any correlation to the present. It is widely used for narration and for referring to historical events:

la seconda guerra mondiale scoppiò nel 1939
the Second World War broke out in 1939

Giacomo Leopardi morì a Napoli nel 1837
Giacomo Leopardi died at Naples in 1837

i nostri antenati fondarono l'azienda nel Settecento
our ancestors founded the firm in the eighteenth century

fallite le trattative, ebbero inizio le ostilità
the negotiations having failed, the hostilities began

8 PAST PERFECT

The past perfect tense (also known as the pluperfect) is used in Italian:

a For describing a past action completed before another past action to which it is related:

si era appena addormentato/a, quando arrivò il postino
he/she had just fallen asleep, when the postman arrived

era stanco/a, perché aveva viaggiato per sei ore
he/she was tired, because he/she had travelled for six hours

b For describing what someone had done, or something that had happened in the past, especially when reported:

mi aveva detto che sarebbe arrivata presto
she had told me she would arrive soon

mia madre aveva preparato una torta per il mio compleanno
my mother had made a cake for my birthday

9 PAST ANTERIOR

The use of the past anterior tense in modern Italian is generally restricted to written, literary language. It is used after conjunctions of time (such as **quando**) in subordinate clauses when the verb contained in the main clause is in the *passato remoto*:

non appena ebbe finito di parlare, se ne andò
as soon as he/she had finished talking, he/she went away

quando ebbe finito il discorso tutti applaudirono
when he/she had finished his/her speech, everybody clapped

la lettera arrivò dopo che se ne fu andato
the letter arrived after he had gone

10 FUTURE PERFECT TENSE

This compound tense is used:

a When a future action will have been completed before another future action takes place:

appena avrò preso il caffè, tornerò in ufficio
as soon as I have had my coffee, I'll go back to the office

quando avremo mangiato, andremo a fare la spesa
when we have eaten, we'll go and do the shopping

b In phrases involving probability that relate to the past such as:

avrà avuto vent'anni quando ha cominciato gli studi universitari
he/she must have been about twenty years old when he/she started studying at university

quanti erano? - saranno stati in dieci
how many of them were there? - there must have been about ten of them

c When there is the likelihood of something having happened that relates to the present:

avrà trovato il libro in biblioteca
he/she will have found the book in the library

eccolo! – avrà sentito la notizia
here he is! – he must have heard the news

d In questions expressing doubt which refer to the past:

quando mai sarà andato/a via?
when on earth did he/she go away?

dove sarà finita la mia penna?
where has my pen got to?

e To express a concession in reference to the past:

avrò speso molti soldi questo mese, ma ne ho anche risparmiati
I may have spent a lot of money this month, but I have also saved some

C USE OF THE CONDITIONAL

1 PRESENT CONDITIONAL

The present conditional is used in Italian:

a When expressing a wish:

vorrei fare una telefonata
I would like to make a phone call

andrei volentieri in Sicilia
I would gladly go to Sicily

b For indicating that an action, occurrence or situation might take place in the future:

ti divertiresti moltissimo alla festa
you would enjoy yourself very much at the party

c For indicating that an action, occurrence or situation would be possible only if certain conditions are fulfilled:

ti divertiresti, se venissi con me
you would enjoy yourself, if you came with me

se avessero molto tempo libero, potrebbero imparare un'altra lingua
if they had a lot of free time, they could learn another language

se avessi preso il treno, sarei già a casa
if I had taken the train, I would have been home already

d To give discreet expression to a personal opinion:

mi sembrerebbe giusto avvertirlo
my view is that it would be right to warn him

sarebbe meglio che tu parta subito
it would be better if you leave at once

e When you wish to express doubt, directly or indirectly, concerning a possible course of action:

come dovrei rispondere a questa lettera?
how should I reply to this letter?

dove dovrei accomodarmi?
where should I sit?

non so proprio che cosa dovrei dire
I really don't know what I should say

f When expressing surprise or disbelief:

sarei io a fare questo lavoro?
should I be doing this job?
(literally: is it me who has to do this job?)

mia moglie non parlerebbe mai così!
my wife would never speak in that fashion!

g To make a polite request:

mi passeresti il sale, per favore?
would you please pass me the salt?

ci faresti un favore?
would you do us a favour?

h To express a reasoned supposition:

il vero responsabile sarebbe Paolo
Paolo is probably responsible for this

la verità sarebbe completamente diversa
the truth is likely to be something quite different

i In a limited number of phrases to express annoyance:

e chi sarebbe che mi disturba a quest'ora?
and who is it that's coming to disturb me at this hour?

come sarebbe a dire?
what does that mean, then?

2 PAST CONDITIONAL

The past conditional is used in Italian:

a When expressing a wish that relates to an action in the past:

avremmo voluto portarti un mazzo di fiori
we would have liked to bring you a bunch of flowers

sarei andato/a volentieri in Sicilia
I would gladly have gone to Sicily

b When referring to a past action, occurrence or situation which would have been possible had certain conditions been fulfilled:

ti saresti divertito/a, se fossi venuto/a con me
you would have enjoyed yourself, if you had come with me

se avessero avuto molto tempo libero, avrebbero potuto imparare un'altra lingua
if they had had a lot of free time, they could have learnt another language

c To give discreet expression to a personal opinion about a past action:

sarebbe stato meglio se tu fossi partito subito
it would have been better if you had left at once

secondo me, sarebbe stata una buona idea vederlo
in my view, it would have been a good idea to see him

d To express doubt, directly or indirectly, concerning a possible course of action in the past:

come avrei dovuto rispondere a quella lettera?
how should I have replied to that letter?

non sapevo proprio che cosa avrei dovuto dire
I really didn't know what I should have said

e When expressing surprise or disbelief with reference to the past:

sarei stato/a io a dover fare quel lavoro?
should *I* have done that job?
(literally: was it me who had to do that job?)

mia moglie non avrebbe mai parlato così!
my wife would never have spoken in that fashion!

f When making a reasoned supposition in reference to the past:

il vero responsabile sarebbe stato Giovanni
Giovanni was probably responsible for that

la verità sarebbe stata completamente diversa
the truth was likely to have been something quite different

g In a limited number of phrases to express rebuke or annoyance in reference to the past:

e chi avrebbe dovuto fare quel lavoro, allora?
and who should have done that job, then?

quando mai avrei detto una cosa simile?
when did I ever say anything like this?

D THE IMPERATIVE

In Italian, the imperative is used to give instructions and orders, to make firm suggestions and requests, and to tell someone not to do something. Note especially that:

i) the 3rd person singular and plural imperatives, which are based on present subjunctive forms, relate to the courtesy pronoun forms **Lei** and **Loro** respectively

ii) the negative imperative of the 2nd person singular is formed by placing **non** before the infinitive of the verb in question

va' subito
go straightaway

faccia attenzione prego a quel che dico
please pay attention to what I am saying

partiamo subito!
let's leave immediately!

non facciamo così!
don't let's do it that way!

prendete la seconda a destra
take the second on the right

prego, si accomodino
take a seat, please

spegni subito la radio!
turn the radio off at once!

non gettate alcun oggetto dal finestrino
don't throw anything out of the window

non mi lasciare tutto solo
don't leave me all on my own

E USE OF THE SUBJUNCTIVE

The indicative mood is employed to express actions that the speaker thinks are true or "real". The subjunctive mood is mainly used to convey actions that are "unreal" for the speaker because they are doubtful or uncertain, hypothetical, hoped or wished for. The subjunctive is most often used in subordinate clauses introduced by a conjunction, eg **che**, but also can sometimes be used in main clauses. The subjunctive is much more widely used in Italian than in English.

a The subjunctive is used in a subordinate clause that is related to the main clause:

credo che sia un po' stanco
I think that he is a bit tired

mi chiedevo se fosse venuta alla festa
I was wondering whether she had come to the party

b It is used in subordinate clauses involving a sense of purpose:

te l'ho detto perché tu sappia come regolarti
I told you so that you would know what to do

ripete la spiegazione affinché io possa capire
he/she repeats the explanation so that I can understand

parlavo forte perché mi sentisse
I spoke loudly so that he/she could hear me

c It is used in subordinate clauses, when describing something that might have been expected to be otherwise or different:

sebbene fosse l'inizio di giugno faceva ancora freddo
although it was early June, it was still cold

d It is used in subordinate conditional clauses:

se dovessi arrivare prima, avvertimi
should you arrive earlier, let me know

se Marco dovesse arrivare a casa tua, digli di chiamarmi
if Marco arrives at your house, tell him to call me

qualora aveste bisogno di me, non esitate a telefonarmi
should you need me, don't hesitate to call me

e It is used in subordinate clauses involving comparison:

ti ho già dato molti più soldi di quanto potessi
I have already given you much more money than I could afford.

mi sono divertito meno di quanto mi aspettassi
I enjoyed myself less than I expected

f It is used in subordinate clauses introduced by **prima che**:

cerca di tornare prima che faccia buio
try to come back before it gets dark

lavati le mani prima che la mamma ti veda così!
wash your hands before your mom sees you like that!

g It follows verbs such as "to doubt":

dubito che mi abbia visto in città
I doubt whether he/she saw me in town

non siamo certi/a se siano partiti/e o no
we are unsure whether they have left or not

h It follows verbs meaning "to hope":

speriamo che vi siate divertiti/e
we hope that you have enjoyed yourselves

speriamo che ci sia ancora abbastanza tempo per visitare il museo
we hope that there is still enough time to visit the museum

mi auguro che tu sia promosso/a agli esami
I hope that you will be successful in your exams

ci auguriamo che riportiate un grande successo
we hope that you will have great success

i It follows verbs such as "to wish":

voglio che tu studi bene questo libro
I want you to study this book well

vorrei che tu fossi qui
I wish you were here

j It follows verbs such as "to fear":

temiamo che possa essere successo qualcosa
we're afraid something might have happened

ho paura che abbiamo sbagliato strada
I'm afraid that we have taken the wrong road

k It follows verbs of uncertainty such as "to think", "it seems":

mi sembra che tu stia lavorando troppo
I think you're working too hard

non so, ma credo che arrivino domani
I don't know, but I think they're arriving tomorrow

credo che siano a Firenze oggi
I think they are in Florence today

penso che venga in macchina
I think he/she is coming by car

l It is used after the adjectives **ultimo**, **primo** and **unico**:

è la prima macchina che abbia mai avuto
it's the first car I ever owned

questo è l'unico paese straniero che io abbia mai visitato
this is the only foreign country I have ever visited

m It is used after a main clause containing a relative superlative:

è la cosa più stupida che potessi dire
this is the most stupid thing you could say

questo è il più bel quadro che io abbia mai visto
this is the most beautiful picture I have ever seen

n It is used in the subordinate clause of indefinite expressions such as:

esce con chiunque glielo chieda
he/she goes out with whoever asks him/her

lo incontro dovunque vada
I meet him wherever I go

o It is used after impersonal expressions like:

è probabile che io venga in Italia quest'anno
I'll probably come to Italy this year

è necessario che tu ci vada subito
it's necessary for you to go there straightaway

p It is used to form indirect questions:

ci domandiamo dove abiti adesso
we wonder where he/she lives now

mi chiedo cosa sia successo
I wonder what has happened

q It is used after verbs of emotion such as:

ci dispiace che tu sia così triste
we are sorry that you are so sad

sono felice che tu abbia avuto il lavoro
I'm happy that you've got the job

r It is used in subordinate clauses which follow a main clause in the negative:

non c'è nessuno che possa aiutarmi
there's nobody who could help me

non so se sia vero o falso
I don't know whether it is true or false

s It is used in statements like the following when referring to events unlikely to happen:

se avessi i soldi, farei il giro del mondo
if I had the money, I would go on a round-the-world trip

se fosse più simpatica avrebbe più amici
if she were nicer, she would have more friends

t It is used in independent clauses expressing a wish such as:

se solo mi avesse telefonato!
if only he had phoned me!

fossi ricco!
would that I were rich!, if only I were rich!

u It is used to give an order or command with the courtesy forms **Lei** and **Loro**:

venga pure!
do come!

si accomodi qua
sit down here

v It is used in independent clauses to refer to something that is assumed:

sono già le nove; che si siano dimenticati del nostro invito?
it's already nine o'clock; perhaps they forgot our invitation?

e se dovessimo partire domani?
what if we were to leave tomorrow?

F THE INFINITIVE

a The infinitive is used in subordinate clauses when the subject of both clauses is the same:

spero di conoscere quel signore alla riunione
I hope to get to know that man at the meeting

crediamo di saper fare questo lavoro
we believe we know how to do this job

b It is used as a verbal noun and is treated as masculine in gender:

tra il dire e il fare c'è di mezzo il mare
easier said than done

l'essere qui mi riempie di gioia
being here makes me happy

c It is used in many expressions following a preposition:

mi ha promesso di venire
he/she promised to come

penso di andare in America l'anno prossimo
I'm thinking about going to America next year

sono andati a pescare
they've gone fishing

d It can be used as a genderless verbal noun:

non voglio andare a casa
I don't want to go home

ti piace andare al cinema?
do you like going to the movie theater?

e It is used on signs and notices as an imperative:

in caso di emergenza, telefonare al 113
in an emergency, telephone 113

non calpestare l'erba
keep off the grass

mescolare per cinque minuti
stir/mix/blend for five minutes

G THE GERUND

The Italian gerund is roughly equivalent to the English verb form ending in "-ing". It has two principal uses:

a With **stare** it forms the present progressive and imperfect progressive tenses, see pp. ix-x and p. xii.

b It is used in sentences like the following when the subject of both actions is the same:

iniziando adesso, finiremo stasera
by starting now, we'll finish it this evening

l'ho incontrata tornando a casa
I met her when I was coming home

H THE PAST PARTICIPLE

1 The Italian past participle, in addition to its use in the formation of compound tenses, is also used as an adjective:

un braccio alzato
a raised arm

il mio cucciolo preferito
my favourite puppy

i carabinieri hanno catturato l'ergastolano evaso
the police have captured the escaped convict

2 AGREEMENT OF THE PAST PARTICIPLE

a In compound tenses, if the auxiliary verb is **essere**, the past participle agrees in gender and number with the subject:

le mie zie sono andate in vacanza ieri
my aunts went on holiday yesterday

i libri sono stati mandati stamattina
the books have been sent this morning

b If the auxiliary verb is **avere**, and there is a noun as direct object which precedes the compound verb form, agreement of the past participle is optional:

questi sono i dischi che mi avevi chiesti
questi sono i dischi che mi avevi chiesto
these are the records you asked me for

c If the auxiliary verb is **avere**, and there is one of the pronouns **lo/l', la/l', li** or **le** as direct object which precedes the compound verb form, the past participle agrees in gender and number with the direct object pronoun:

le scarpe? - le ho trovate al mercato
the shoes? - I found them at the market

Stefano? - l'ho visto ieri
Stefano? - I saw him yesterday

d If the auxiliary verb is **avere**, and one of the direct object pronouns **mi, ti, ci, vi** or **ne** precedes the compound verb form, agreement with the direct object is optional:

Roberta, ti ho trovato finalmente!
Roberta, ti ho trovata finalmente!
Roberta, I've found you at last!

ho scritto molte lettere - ma te ne ho mandato solo due
ho scritto molte lettere - ma te ne ho mandate solo due
I wrote many letters to you, but I only sent two of them

If the same sentence contains a further qualifying word which does show agreement, then the past participle must also agree:

ne ho scritte molte
I've written many (of them)

e With compound forms of simple reflexive verbs, the past participle agrees in gender and number with the subject:

Giorgio si è lavato
Giorgio has washed himself

Maria si è lavata
Maria has washed herself

When a reflexive verb has an object in addition to the reflexive pronoun, the past participle may agree in gender and number with either the subject or the object:

Giorgio si è asciugato le mani
Giorgio si è asciugate le mani
Giorgio dried his hands

Maria si è asciugata le mani
Maria si è asciugate le mani
Maria dried her hands

I THE PASSIVE

The passive voice in Italian is formed with the appropriate person and tense of the verb **essere** and the past participle of the main verb. In the passive, the subject does not carry out the action but is subjected to it:

il problema è stato risolto da Mario
the problem has been solved by Mario
Mario solved the problem

il mio articolo sarà pubblicato a giugno
my article will be published in June

For an example of the full conjugation of a passive verb, see p. xxx.

ESSERE AMMIRATO to be admired

INDICATIVE

PRESENT
sono ammirato/a
sei ammirato/a
è ammirato/a
siamo ammirati/e
siete ammirati/e
sono ammirati/e

FUTURE
sarò ammirato/a
sarai ammirato/a
sarà ammirato/a
saremo ammirati/e
sarete ammirati/e
saranno ammirati/e

IMPERFECT
ero ammirato/a
eri ammirato/a
era ammirato/a
eravamo ammirati/e
eravate ammirati/e
erano ammirati/e

PASSATO REMOTO
fui ammirato/a
fosti ammirato/a
fu ammirato/a
fummo ammirati/e
foste ammirati/e
furono ammirati/e

PASSATO PROSSIMO
sono stato/a ammirato/a
sei stato/a ammirato/a
è stato/a ammirato/a
siamo stati/e ammirati/e
siete stati/e ammirati/e
sono stati/e ammirati/e

PAST PERFECT
ero stato/a ammirato/a
eri stato/a ammirato/a
era stato/a ammirato/a
eravamo stati/e ammirati/e
eravate stati/e ammirati/e
erano stati/e ammirati/e

PAST ANTERIOR
fui stato/a ammirato/a etc
see page 93

FUTURE PERFECT
sarà stato/a ammirato/a etc
see page 93

CONDITIONAL

PRESENT
sarei ammirato/a
saresti ammirato/a
sarebbe ammirato/a
saremmo ammirati/e
sareste ammirati/e
sarebbero ammirati/e

PAST
sarei stato/a ammirato/a
saresti stato/a ammirato/a
sarebbe stato/a ammirato/a
saremmo stati/e ammirati/e
sareste stati/e ammirati/e
sarebbero stati/e ammirati/e

IMPERATIVE

SUBJUNCTIVE

PRESENT
sia ammirato/a
sia ammirato/a
sia ammirato/a
siamo ammirati/e
siate ammirati/e
siano ammirati/e

IMPERFECT
fossi ammirato/a
fossi ammirato/a
fosse ammirato/a
fossimo ammirati/e
foste ammirati/e
fossero ammirati/e

PAST PERFECT
fossi stato/a ammirato/a
fossi stato/a ammirato/a
fosse stato/a ammirato/a
fossimo stati/e ammirati/e
foste stati/e ammirati/e
fossero stati/e ammirati/e

PASSATO PROSSIMO
sia stato/a ammirato/a etc
see page 93

PRESENT INFINITIVE
esser(e) ammirato/a/i/e

PAST INFINITIVE
esser(e) stato/a/i/e ammirato/a/i/e

GERUND
essendo ammirato/a/i/e

PAST PARTICIPLE
essendo stato/a/i/e ammirato/a/i/e

J VERB CONSTRUCTIONS WITH PREPOSITIONS

A significant number of Italian verbs govern prepositions when they precede another verb or a person plus another verb. The prepositions most often found in such constructions are **a** and **di**. Here is a table of some of the most commonly used verbs which employ such a construction.

abituarsi a fare qualcosa	to get used to doing something
accettare di fare qualcosa	to accept/to agree to do something
aiutare qualcuno a fare qualcosa	to help someone to do something
ammettere di aver fatto qualcosa	to admit having done something
andare a fare qualcosa	to go and do something
aspettare di fare qualcosa	to wait (before being able) to do something
aspettarsi di fare qualcosa	to expect to do something
augurarsi di fare qualcosa	to hope/to wish to do something
cercare di fare qualcosa	to try to do something
cessare di fare qualcosa	to cease doing something
chiedere a qualcuno di fare qualcosa	to ask someone to do something
comandare a qualcuno di fare qualcosa	to order someone to do something
cominciare a fare qualcosa	to begin doing something
consigliare a qualcuno di fare qualcosa	to advise someone to do something
continuare a fare qualcosa	to continue doing something
correre a fare qualcosa	to run and do something
costringere qualcuno a fare qualcosa	to force someone to do something
credere di fare qualcosa	to believe/to think that one is doing something
decidere di fare qualcosa	to decide to do something
decidersi a fare qualcosa	to make up one's mind to do something

dimenticare di fare qualcosa	to forget to do something
dire a qualcuno di fare qualcosa	to tell someone to do something
divertirsi a fare qualcosa	to enjoy oneself doing something
domandare a qualcuno di fare qualcosa	to ask someone to do something
fare a meno di qualcosa	to do without something
fare meglio a fare qualcosa	to do/to be better to do something (else)
fare presto a fare qualcosa	to hasten to do something
fermarsi a fare qualcosa	to stop/to pause to do something
fingere di fare qualcosa	to pretend/to feign to do something
finire di fare qualcosa	to finish doing something
forzare qualcuno a fare qualcosa	to force someone to do something
imparare a fare qualcosa	to learn to do something
impedire a qualcuno di fare qualcosa	to prevent someone from doing something
incoraggiare qualcuno a fare qualcosa	to encourage someone to do something
insegnare a qualcuno a fare qualcosa	to teach someone (how) to do something
invitare qualcuno a fare qualcosa	to invite someone to do something
lamentarsi di (dover fare) qualcosa	to complain about (having to do) something
mandare qualcuno a fare qualcosa	to send someone to do something
meravigliarsi di qualcosa	to wonder at something
mettersi a fare qualcosa	to start (off) doing something
obbligare qualcuno a fare qualcosa	to oblige someone to do something
offrirsi di fare qualcosa	to offer to do something
ordinare a qualcuno di fare qualcosa	to order someone to do something

passare a fare qualcosa	to stop by/to call in to do something
pensare a fare qualcosa	to think of/about doing something
pensare di fare qualcosa	to think of/about doing something
permettere a qualcuno di fare qualcosa	to allow/to permit someone to do something
persuadere qualcuno a fare qualcosa	to persuade someone to do something
prepararsi a fare qualcosa	to get ready/to prepare oneself to do something
provare a fare qualcosa	to try to do something
ricordarsi di fare qualcosa	to remember to do something
rifiutarsi di fare qualcosa	to refuse to do something
rimanere a fare qualcosa	to stay and do something
rinunciare a fare qualcosa	to give up doing something
riprendere a fare qualcosa	to resume doing something
riuscire a fare qualcosa	to succeed in doing something
sbrigarsi a fare qualcosa	to hurry and do something
sentirsela di fare qualcosa	to feel like doing something
servire a fare qualcosa	to be useful in/for doing something
smettere di fare qualcosa	to stop/to cease doing something
sognare di fare qualcosa	to dream of doing something
sperare di fare qualcosa	to hope to do something
stancarsi di fare qualcosa	to tire of doing something
stare a fare qualcosa	to stay and do something
suggerire a qualcuno di fare qualcosa	to suggest to someone doing something
temere di fare qualcosa	to be afraid of doing something
tentare di fare qualcosa	to attempt to do something
tornare a fare qualcosa	to return to doing something
venire a fare qualcosa	to come and do something
vergognarsi di fare qualcosa	to be ashamed of doing something
vietare a qualcuno di fare qualcosa	to forbid someone to do something

K NEGATIVE CONSTRUCTIONS

Simple negation is achieved in Italian by placing the negative particle **non** in front of the finite verb and any object pronouns. Italian also has a range of constructions with two (or more) negative particles:

non ...	not
non ... mai	not ever, never
non ... niente	not anything, nothing
non ... nulla	not anything, nothing
non ... nemmeno	not even
non ... neanche	not even
non ... neppure	not ... either
non ... né [...] né	neither ... nor
non ... nessuno	not anyone, no-one, nobody, no ...
non ... più	not any more, no longer, not again
non ... affatto	not at all
non ... ancora	not yet
non ... per niente	not at all
non ... mica	not (in) the slightest
non ... punto	not (in) the slightest
non ... che	only
non ... da nessuna parte	not anywhere, nowhere

1 THE POSITION OF NEGATIVE PARTICLES IN SIMPLE TENSES AND THE IMPERATIVE

Non precedes the finite verb and any object pronouns. The other negative particles follow the finite verb. Where more than one other negative particle is required **più** precedes all the other particles apart from **mai**.

non dormo
I am not sleeping

non m'importa più niente di lui
I don't care about him any more

non incontreremo nessuno
we will not meet anyone

non ho che mille lire
I have only got a thousand lire

non vado da nessuna parte
I'm not going anywhere

non mangio nulla
I'm not eating anything

non ci vado più
I'm not going there again

non ci vado mai più
I'm not going there ever again

non lo vedo
I can't see him/it

per favore, non andartene
please don't go

non siamo affatto pigri/e
we are not at all lazy

non c'è nessuno
there's no-one there

non vedo né Marco né Carla
I can't see either Marco or Carla

2 THE POSITION OF NEGATIVE PARTICLES IN COMPOUND TENSES

In compound tenses, **non** precedes the auxiliary verb and any object pronouns. Certain of the other negative particles generally follow the auxiliary verb, but may be placed after the past participle if particular emphasis is required. Note, however, that **niente**, **nulla**, **nessuno**, and **per niente** are placed after the past participle. In those cases where **né ... né** relates to two verbs, one particle is placed in front of each of the past participles. Where more than one additional particle is employed, **più** precedes all the other particles apart from **mai**:

non ha più lavorato
he/she didn't work any more

non abbiamo ancora mangiato
we haven't eaten yet

non abbiamo mangiato ancora
we haven't eaten *yet*

non mi hanno telefonato né Mario né Francesca
neither Mario nor Francesca called me

non ho visto né Aldo né Simona
I haven't seen either Aldo or Simona

non abbiamo detto nulla
we didn't say anything

nessuno vuole ancora un po' di insalata?
does anybody want some more salad?

non l'ho mai più vista
I have never seen her/it again

non hanno mai detto niente a nessuno
they have never said anything to anyone

non gli è piaciuto per niente
he didn't like it at all

3 THE POSITION OF THE NEGATIVE WITH THE INFINITIVE

The simple negation of an infinitive is achieved by placing **non** in front of the infinitive. Where a two-particle negative expression is required, **non** precedes the infinitive or its accompanying modal verb, whilst the other particle follows it.

ti chiedo di non parlare
I ask you not to speak

ti ordino di non andarci più
I order you not to go there again

sono lieto/a di non dover andarci mai più
I am happy not to have to go there ever again

4 NEGATIVES IN INITIAL POSITION

Several of the Italian negative particles may be placed at the beginning of a sentence. The commonest of these are **nessuno** and **niente**. Note that, as in English, they are sufficient in themselves and do not require the first negative particle **non**. Several of the negatives can also stand on their own:

nessuno va a scuola oggi
nobody is going to school today

niente potrà fermarmi
nothing will stop me

chi viene? - nessuno
who is coming? - no-one

sei mai andato/a in Italia? - mai
have you ever been to Italy? - never

che cosa hai comprato? - niente
what have you bought? - nothing

L AVERE OR ESSERE AS AUXILIARY?

a **avere** is used to form the compound tenses of the majority of verbs, particularly those which are transitive (ie have direct objects).

essere is used to form the compound tenses of itself:

siamo stati/e
we have been

ero stato/a
I had been

to form the compound tenses of reflexive verbs:

si è vestito/a
he/she got dressed

ci siamo divertiti/e
we enjoyed ourselves

mi sono alzato/a
I got up

to form the passive voice of verbs (see p. xxix);

and to form the compound tenses of a significant number of verbs, including the following, several of which are verbs of motion:

andare	to go
apparire	to appear
arrivare	to arrive
cadere	to fall
correre	to run
crescere	to grow
diventare	to become
emergere	to emerge
entrare	to enter
fuggire	to run away, to flee
giacere	to lie, to be situated
giungere	to reach
morire	to die
nascere	to be born
parere	to seem
partire	to leave, to depart
passare	to pass (by)
piacere	to please
restare	to stay, to remain
rimanere	to stay, to remain

salire	to go up
scendere	to go down
stare	to be, to stand
succedere	to happen
tornare	to return, to go back
uscire	to go out
valere	to be worth
venire	to come
vivere	to live

Note, however, that **camminare** (to walk) is conjugated with **avere**.

b Some of the verbs in the above list may be used transitively (ie they may take direct objects); when this occurs their compound tenses are formed with **avere**:

ho salito le scale
I went up the stairs

c A small number of verbs which signal the beginning or end of an action, use **avere** or **essere** to form their compound tenses depending on whether or not a direct object is expressed:

il professore ha già finito la lezione
the professor has already finished his lesson

le lezione è finita
the lesson is finished/over

GLOSSARY

Active Voice The active voice of a verb is the basic form in which the ***subject*** is performing or causing the action described by the verb, eg "I call him", as opposed to the ***passive voice*** of the verb, eg "he is called".

Auxiliary Verbs Auxiliary verbs are used to form ***compound tenses*** of verbs, eg "have" in "I have eaten", or "had" in "she had written". The principal auxiliary verbs in Italian are **avere** and **essere**. See also ***modal auxiliary verbs***.

Compound Tenses Verb tenses consisting of more than one element are called compound tenses. The compound tenses of Italian verbs are formed by an ***auxiliary verb*** + the ***past participle*** of the main verb, eg **ho mangiato**, **mi sono lavato**, **abbiamo pensato**, **siamo venuti**.

Conditional The conditional ***mood*** of a verb is used to describe what someone would do, or something that would happen if a given condition were fulfilled (eg "I would go to Italy if I had enough money"; "the shelf would have collapsed if she had put more books on it"). The conditional mood is often used in Italian with verbs of wishing or preference, and to report what a third party has said, eg **vorrei mangiare una pizza**; **secondo lui, il professore sarebbe uscito due minuti fa**.

Conjugation The conjugation of a verb is the complete set of different forms it has in its various tenses and moods. There are three main conjugations in Italian, based on ***infinitives*** ending in **-are**, **-ere**, and **-ire**. These ***endings*** determine the forms.

Direct Object The direct object is the noun or pronoun which follows a verb and which is not linked to it by a preposition, eg "I did the work", "I gave the present". It is opposed to the indirect object which is governed by a preposition. In "I gave her the present", "her" is the same as "to her" and is an ***indirect object***, "the present" is still the direct object.

Endings The ending of a verb form in Italian is determined by the ***person*** (1st, 2nd or 3rd) and ***number*** (singular or plural) of its ***subject***.

Gerund	The gerund form of an Italian verb is invariable (**-ando** or **-endo** dependent upon ***conjugation***) and is equivalent to the English verb form which ends in "-ing".
Indirect Object	This is the noun or pronoun which follows a verb and is linked to it by a preposition, usually "to", eg "I will give the book to him".
Imperative	The imperative mood of a verb is used for giving orders and commands (eg "stop!", "listen to me!") or for making firm suggestions (eg "let's go!").
Indicative	The indicative ***mood*** states the action of a verb in straightforward statements when there is no doubt, eg "I am writing", "she is talking", "we read", "they came", as opposed to its ***conditional***, ***imperative*** and ***subjunctive*** moods.
Infinitive	The infinitive is the basic form of a verb, such as is found in dictionary entries. Thus "to sleep", "to start" and "to write" are infinitives. The vast majority of Italian infinitives end in **-are**, **-ere** or **-ire**.
Modal Auxiliary Verbs	Modal auxiliary verbs, mainly employed in structures denoting wish, ability or obligation generally govern the infinitive form of a verb. The principal modal auxiliary verbs in Italian are **volere**, **potere** and **dovere**.
Mood	The name usually given to the four main categories within which a verb is conjugated. See also ***indicative***, ***subjunctive***, ***conditional***, ***imperative***.
Number	This term is used to show whether a noun or pronoun is singular or plural.
Object	See ***direct object***, ***indirect object***.
Passato Prossimo	This name is the Italian name for the ***compound*** past tense known in English as the perfect tense (eg "we have studied", "he has gone").
Passato Remoto	This name is applied in Italian to the simple past tense known in English as the past definite tense (eg "I went", "she ate").

Passive Voices A verb is in the passive voice when the ***subject*** of the verb does not perform the action but is the recipient of it. The formation of the passive in English consists of a part of the verb "to be" + the ***past participle*** of the verb in question (eg "he was elected", "they were summoned").

Past Participle The past participle is the verb element used in English and Italian after the ***auxiliary verb*** in the formation of ***compound tenses***, eg **ho mangiato** "I have eaten"; **è andato** "he has gone".

Person Verb ***tenses*** and ***moods*** have three ***persons*** in the singular (1st "I", 2nd "you", 3rd "he/she"), and three in the plural (1st "we", 2nd "you", 3rd "they"). In Italian the 3rd person forms are also used with the capitalised pronouns **Lei** and **Loro** as, respectively, the polite singular and plural forms of "you".

Present Participle In Italian the present participle (eg **parlante** "speaking", **vedente** "seeing") functions almost exclusively as an adjective. On those occasions when it functions as a verb (eg **questo è il biglietto vincente il primo premio** "this is the ticket winning the first prize"), the present participle agrees in number only (eg **due biglietti vincenti**).

Reflexive Verbs Reflexive verbs "reflect" the action of the verb back onto the ***subject***, eg "I wash myself". Reflexive verbs in Italian are always used with reflexive pronouns, they always take **essere** as the ***auxiliary verb***, and their past participle always agrees in ***number*** and ***gender*** with the ***subject***.

Stem See ***verb stem***.

Subject This is the noun or pronoun in a sentence which carries out the action, eg "she paid for it", "John was driving", "the train was running late".

Subjunctive The subjunctive ***mood*** of verbs is rarely used in English (eg "I wouldn't do that if I were you"; "so be it"), but is commonly employed in Italian in subordinate clauses following certain conjunctions and infinitives.

Subordinate Clause A subordinate clause is a group of words whose ***subject*** and verb are dependent on another clause, rather than functioning as a separate sentence in its own right. For example, in "they said they would come", "they would come" is the subordinate clause dependent on "they said".

Tenses Tenses are verb categories which indicate the time at which an action takes place (eg in the present, in the past, in the future).

Verb Stems The stem of a verb is the "basic unit" to which are added the various endings to form the ***tenses*** and ***moods*** of the verb in question. The stem of the vast majority of Italian verbs is found by removing the **-are**, **-ere** or **-ire** from the infinitive form. For example, the stem of **portare** is **port-**, the stem of **cadere** is **cad-**, and the stem of **finire** is **fin-**.

Voice Verbs have two voices: ***active*** and ***passive***.

NOTE ON TENSE NAMES

You may also come across the following alternative names for Italian tenses:

passato prossimo:	present perfect, perfect
passato remoto:	past absolute, past definite
past perfect:	pluperfect
past perfect subjunctive:	pluperfect subjunctive

NOTES ON THE VERB TABLES

i) The position of the stress in Italian verbs varies according to the person. Note that in the present tense, the singular persons and the 3rd person plural are stressed on the stem, whilst the 1st and 2nd persons plural are stressed on the penultimate syllable. For example:

PRESENT
abito
abiti
abita
abitiamo
abitate
abitano

ii) In Italian, subject pronouns (**io**, **tu** etc) are not generally used when the subject of the sentence is clear from the verb ending and context of the sentence. They can be used, however, to emphasise the subject or if the subject of the sentence is unclear from the verb. In the verb tables, the verbs are conjugated in the following order:

1st person singular	**io** (I)
2nd person singular	**tu** (you)
3rd person singular	**lui** (he/it), **lei** (she/it), **Lei** (you)
1st person plural	**noi** (we)
2nd person plural	**voi** (you)
3rd person plural	**loro** (they), **Loro** (you)

Note that the courtesy pronouns **Lei** and **Loro** ("you" in the singular and plural respectively) take the 3rd person of the verb.

iii) Whilst (officially) Italian has strict rules governing the use of grave or acute accents to indicate respectively open or closed vowels, in practice many Italians and many Italian publications adopt a relaxed approach in their use of written accents. In this text, the written accents used are those most commonly found in textbooks for English-speaking learners of Italian.

iv) In the verb tables the past infinitive is shown with the auxiliary infinitive element as **esser(e)** or **aver(e)** as appropriate. The bracketed final **(e)** indicates that this letter is commonly omitted in both written and spoken Italian.

ABITARE to live, to dwell, to reside

INDICATIVE

PRESENT
abito
abiti
abita
abitiamo
abitate
abitano

FUTURE
abiterò
abiterai
abiterà
abiteremo
abiterete
abiteranno

IMPERFECT
abitavo
abitavi
abitava
abitavamo
abitavate
abitavano

PASSATO REMOTO
abitai
abitasti
abitò
abitammo
abitaste
abitarono

PASSATO PROSSIMO
ho abitato
hai abitato
ha abitato
abbiamo abitato
avete abitato
hanno abitato

PAST PERFECT
avevo abitato
avevi abitato
aveva abitato
avevamo abitato
avevate abitato
avevano abitato

PAST ANTERIOR
ebbi abitato etc
see page 25

FUTURE PERFECT
avrò abitato etc
see page 25

CONDITIONAL

PRESENT
abiterei
abiteresti
abiterebbe
abiteremmo
abitereste
abiterebbero

PAST
avrei abitato
avresti abitato
avrebbe abitato
avremmo abitato
avreste abitato
avrebbero abitato

SUBJUNCTIVE

PRESENT
abiti
abiti
abiti
abitiamo
abitiate
abitino

IMPERFECT
abitassi
abitassi
abitasse
abitassimo
abitaste
abitassero

PAST PERFECT
avessi abitato
avessi abitato
avesse abitato
avessimo abitato
aveste abitato
avessero abitato

PASSATO PROSSIMO
abbia abitato etc
see page 25

PRESENT INFINITIVE
abitare

PAST INFINITIVE
aver(e) abitato

GERUND
abitando

PAST PARTICIPLE
abitato

IMPERATIVE
abita
abiti
abitiamo
abitate
abitino

2 ACCENDERE to switch on, to light, to ignite

INDICATIVE

PRESENT
accendo
accendi
accende
accendiamo
accendete
accendono

FUTURE
accenderò
accenderai
accenderà
accenderemo
accenderete
accenderanno

IMPERFECT
accendevo
accendevi
accendeva
accendevamo
accendevate
accendevano

PASSATO REMOTO
accesi
accendesti
accese
accendemmo
accendeste
accesero

PASSATO PROSSIMO
ho acceso
hai acceso
ha acceso
abbiamo acceso
avete acceso
hanno acceso

PAST PERFECT
avevo acceso
avevi acceso
aveva acceso
avevamo acceso
avevate acceso
avevano acceso

PAST ANTERIOR
ebbi acceso etc
see page 25

FUTURE PERFECT
avrò acceso etc
see page 25

CONDITIONAL

PRESENT
accenderei
accenderesti
accenderebbe
accenderemmo
accendereste
accenderebbero

PAST
avrei acceso
avresti acceso
avrebbe acceso
avremmo acceso
avreste acceso
avrebbero acceso

SUBJUNCTIVE

PRESENT
accenda
accenda
accenda
accendiamo
accendiate
accendano

IMPERFECT
accendessi
accendessi
accendesse
accendessimo
accendeste
accendessero

PAST PERFECT
avessi acceso
avessi acceso
avesse acceso
avessimo acceso
aveste acceso
avessero acceso

PASSATO PROSSIMO
abbia acceso etc
see page 25

PRESENT INFINITIVE
accendere

PAST INFINITIVE
aver(e) acceso

GERUND
accendendo

PAST PARTICIPLE
acceso

IMPERATIVE

accendi
accenda
accendiamo
accendete
accendano

ACCERTARE to ascertain, to confirm, to check 3

INDICATIVE

PRESENT
accerto
accerti
accerta
accertiamo
accertate
accertano

FUTURE
accerterò
accerterai
accerterà
accerteremo
accerterete
accerteranno

IMPERFECT
accertavo
accertavi
accertava
accertavamo
accertavate
accertavano

PASSATO REMOTO
accertai
accertasti
accertò
accertammo
accertaste
accertarono

PASSATO PROSSIMO
ho accertato
hai accertato
ha accertato
abbiamo accertato
avete accertato
hanno accertato

PAST PERFECT
avevo accertato
avevi accertato
aveva accertato
avevamo accertato
avevate accertato
avevano accertato

PAST ANTERIOR
ebbi accertato etc
see page 25

FUTURE PERFECT
avrò accertato etc
see page 25

CONDITIONAL

PRESENT
accerterei
accerteresti
accerterebbe
accerteremmo
accertereste
accerterebbero

PAST
avrei accertato
avresti accertato
avrebbe accertato
avremmo accertato
avreste accertato
avrebbero accertato

SUBJUNCTIVE

PRESENT
accerti
accerti
accerti
accertiamo
accertiate
accertino

IMPERFECT
accertassi
accertassi
accertasse
accertassimo
accertaste
accertassero

PAST PERFECT
avessi accertato
avessi accertato
avesse accertato
avessimo accertato
aveste accertato
avessero accertato

PASSATO PROSSIMO
abbia accertato etc
see page 25

PRESENT INFINITIVE
accertare

PAST INFINITIVE
aver(e) accertato

GERUND
accertando

PAST PARTICIPLE
accertato

IMPERATIVE

accerta
accerti
accertiamo
accertate
accertino

4 ACCOMODARSI to have a seat, to take a place

INDICATIVE

PRESENT
mi accomodo
ti accomodi
si accomoda
ci accomodiamo
vi accomodate
si accomodano

FUTURE
mi accomoderò
ti accomoderai
si accomoderà
ci accomoderem
vi accomoderete
si accomoderanno

IMPERFECT
mi accomodavo
ti accomodavi
si accomodava
ci accomodavamo
vi accomodavate
si accomodavano

PASSATO REMOTO
mi accomodai
ti accomodasti
si accomodò
ci accomodammo
vi accomodaste
si accomodarono

PASSATO PROSSIMO
mi sono accomodato/a
ti sei accomodato/a
si è accomodato/a
ci siamo accomodati/e
vi siete accomodati/e
si sono accomodati/e

PAST PERFECT
mi era accomodato/a
ti eri accomodato/a
si era accomodato/a
ci eravamo accomodati/e
vi eravate accomodati/e
si erano accomodati/e

PAST ANTERIOR
mi fui accomodato/a etc
see *page 93*

FUTURE PERFECT
mi sarò accomodato/a
see *page 93*

CONDITIONAL

PRESENT
mi accomoderei
ti accomoderesti
si accomoderebbe
ci accomoderemmo
vi accomodereste
si accomoderebbero

PAST
mi sarei accomodato/a
ti saresti accomodato/a
si sarebbe accomodato/a
ci saremmo accomodati/e
vi sareste accomodati/e
si sarebbero accomodati/e

SUBJUNCTIVE

PRESENT
mi accomodi
ti accomodi
si accomodi
ci accomodiamo
vi accomodiate
si accomodino

IMPERFECT
mi accomodassi
ti accomodassi
si accomodasse
ci accomodassimo
vi accomodaste
si accomodassero

PAST PERFECT
mi fossi accomodato/a
ti fossi accomodato/a
si fosse accomodato/a
ci fossimo accomodati/e
vi foste accomodati/e
si fossero accomodati/e

PASSATO PROSSIMO
mi sia accomodato/a etc
see *page 93*

PRESENT INFINITIVE
accomodarsi

PAST INFINITIVE
essersi accomodato/a/i/e

GERUND
accomodandomi etc

PAST PARTICIPLE
accomodato/a/i/e

IMPERATIVE

accomodati
si accomodi
accomodiamoci
accomodatevi
si accomodino

ACCORGERSI to notice, to become aware of

INDICATIVE

PRESENT
mi accorgo
ti accorgi
si accorge
ci accorgiamo
vi accorgete
si accorgono

FUTURE
mi accorgerò
ti accorgerai
si accorgerà
ci accorgeremo
vi accorgerete
si accorgeranno

IMPERFECT
mi accorgevo
ti accorgevi
si accorgeva
ci accorgevamo
vi accorgevate
si accorgevano

PASSATO REMOTO
mi accorsi
ti accorgesti
si accorse
ci accorgemmo
vi accorgeste
si accorsero

PASSATO PROSSIMO
mi sono accorto/a
ti sei accorto/a
si è accorto/a
ci siamo accorti/e
vi siete accorti/e
si sono accorti/e

PAST PERFECT
mi ero accorto/a
ti eri accorto/a
si era accorto/a
ci eravamo accorti/e
vi eravate accorti/e
si erano accorti/e

PAST ANTERIOR
mi fui accorto/a etc
see page 93

FUTURE PERFECT
mi sarò accorto/a etc
see page 93

CONDITIONAL

PRESENT
mi accorgerei
ti accorgeresti
si accorgerebbe
ci accorgeremmo
vi accorgereste
si accorgerebbero

PAST
mi sarei accorto/a
ti saresti accorto/a
si sarebbe accorto/a
ci saremmo accorti/e
vi sareste accorti/e
si sarebbero accorti/e

IMPERATIVE

accorgiti
si accorga
accorgiamoci
accorgetevi
si accorgano

SUBJUNCTIVE

PRESENT
mi accorga
ti accorga
si accorga
ci accorgiamo
vi accorgiate
si accorgano

IMPERFECT
mi accorgessi
ti accorgessi
si accorgesse
ci accorgessimo
vi accorgeste
si accorgessero

PAST PERFECT
mi fossi accorto/a
ti fossi accorto/a
si fosse accorto/a
ci fossimo accorti/e
vi foste accorti/e
si fossero accorti/e

PASSATO PROSSIMO
mi sia accorto/a etc
see page 93

PRESENT INFINITIVE
accorgersi

PAST INFINITIVE
essersi accorto/a/i/e

GERUND
accorgendomi etc

PAST PARTICIPLE
accorto/a/i/e

ACCUSARE to accuse

INDICATIVE

PRESENT
accuso
accusi
accusa
accusiamo
accusate
accusano

FUTURE
accuserò
accuserai
accuserà
accuseremo
accuserete
accuseranno

IMPERFECT
accusavo
accusavi
accusava
accusavamo
accusavate
accusavano

PASSATO REMOTO
accusai
accusasti
accusò
accusammo
accusaste
accusarono

PASSATO PROSSIMO
ho accusato
hai accusato
ha accusato
abbiamo accusato
avete accusato
hanno accusato

PAST PERFECT
avevo accusato
avevi accusato
aveva accusato
avevamo accusato
avevate accusato
avevano accusato

PAST ANTERIOR
ebbi accusato etc
see page 25

FUTURE PERFECT
avrò accusato etc
see page 25

CONDITIONAL

PRESENT
accuserei
accuseresti
accuserebbe
accuseremmo
accusereste
accuserebbero

PAST
avrei accusato
avresti accusato
avrebbe accusato
avremmo accusato
avreste accusato
avrebbero accusato

SUBJUNCTIVE

PRESENT
accusi
accusi
accusi
accusiamo
accusiate
accusino

IMPERFECT
accusassi
accusassi
accusasse
accusassimo
accusaste
accusassero

PAST PERFECT
avessi accusato
avessi accusato
avesse accusato
avessimo accusato
aveste accusato
avessero accusato

PASSATO PROSSIMO
abbia accusato etc
see page 25

PRESENT INFINITIVE
accusare

PAST INFINITIVE
aver(e) accusato

GERUND
accusando

PAST PARTICIPLE
accusato

IMPERATIVE

accusa
accusi
accusiamo
accusate
accusino

AFFIGGERE to stick up, to affix

INDICATIVE

PRESENT
affiggo
affiggi
affigge
affiggiamo
affiggete
affiggono

FUTURE
affiggerò
affiggerai
affiggerà
affiggeremo
affiggerete
affiggeranno

IMPERFECT
affiggevo
affiggevi
affiggeva
affiggevamo
affiggevate
affiggevano

PASSATO REMOTO
affissi
affiggesti
affisse
affiggemmo
affiggeste
affissero

PASSATO PROSSIMO
ho affisso
hai affisso
ha affisso
abbiamo affisso
avete affisso
hanno affisso

PAST PERFECT
avevo affisso
avevi affisso
aveva affisso
avevamo affisso
avevate affisso
avevano affisso

PAST ANTERIOR
ebbi affisso etc
see *page* 25

FUTURE PERFECT
avrò affisso etc
see *page* 25

CONDITIONAL

PRESENT
affiggerei
affiggeresti
affiggerebbe
affiggeremmo
affiggereste
affiggerebbero

PAST
avrei affisso
avresti affisso
avrebbe affisso
avremmo affisso
avreste affisso
avrebbero affisso

SUBJUNCTIVE

PRESENT
affigga
affigga
affigga
affiggiamo
affiggiate
affiggano

IMPERFECT
affiggessi
affiggessi
affiggesse
affiggessimo
affiggeste
affiggessero

PAST PERFECT
avessi affisso
avessi affisso
avesse affisso
avessimo affisso
aveste affisso
avessero affisso

PASSATO PROSSIMO
abbia affisso etc
see *page* 25

PRESENT INFINITIVE
affiggere

PAST INFINITIVE
aver(e) affisso

GERUND
affiggendo

PAST PARTICIPLE
affisso

IMPERATIVE

affiggi
affigga
affiggiamo
affiggete
affiggano

AFFITTARE to rent

INDICATIVE

PRESENT
affitto
affitti
affitta
affittiamo
affittate
affittano

FUTURE
affitterò
affitterai
affitterà
affitteremo
affitterete
affitteranno

IMPERFECT
affittavo
affittavi
affittava
affittavamo
affittavate
affittavano

PASSATO REMOTO
affittai
affittasti
affittò
affittammo
affittaste
affittarono

PASSATO PROSSIMO
ho affittato
hai affittato
ha affittato
abbiamo affittato
avete affittato
hanno affittato

PAST PERFECT
avevo affittato
avevi affittato
aveva affittato
avevamo affittato
avevate affittato
avevano affittato

PAST ANTERIOR
ebbi affittato etc
see page 25

FUTURE PERFECT
avrò affittato etc
see page 25

CONDITIONAL

PRESENT
affitterei
affitteresti
affitterebbe
affitteremmo
affittereste
affitterebbero

PAST
avrei affittato
avresti affittato
avrebbe affittato
avremmo affittato
avreste affittato
avrebbero affittato

SUBJUNCTIVE

PRESENT
affitti
affitti
affitti
affittiamo
affittiate
affittino

IMPERFECT
affittassi
affittassi
affittasse
affittassimo
affittaste
affittassero

PAST PERFECT
avessi affittato
avessi affittato
avesse affittato
avessimo affittato
aveste affittato
avessero affittato

PASSATO PROSSIMO
abbia affittato etc
see page 25

PRESENT INFINITIVE
affittare

PAST INFINITIVE
aver(e) affittato

GERUND
affittando

PAST PARTICIPLE
affittato

IMPERATIVE

affitta
affitti
affittiamo
affittate
affittino

AFFLIGGERE to afflict, to trouble

INDICATIVE

PRESENT
affliggo
affliggi
affligge
affliggiamo
affliggete
affliggono

FUTURE
affliggerò
affliggerai
affliggerà
affliggeremo
affliggerete
affliggeranno

IMPERFECT
affliggevo
affliggevi
affliggeva
affliggevamo
affliggevate
affliggevano

PASSATO REMOTO
afflissi
affliggesti
afflisse
affliggemmo
affliggeste
afflissero

PASSATO PROSSIMO
ho afflitto
hai afflitto
ha afflitto
abbiamo afflitto
avete afflitto
hanno afflitto

PAST PERFECT
avevo afflitto
avevi afflitto
aveva afflitto
avevamo afflitto
avevate afflitto
avevano afflitto

PAST ANTERIOR
ebbi afflitto etc
see page 25

FUTURE PERFECT
avrò afflitto etc
see page 25

CONDITIONAL

PRESENT
affliggerei
affliggeresti
affliggerebbe
affliggeremmo
affliggereste
affliggerebbero

PAST
avrei afflitto
avresti afflitto
avrebbe afflitto
avremmo afflitto
avreste afflitto
avrebbero afflitto

SUBJUNCTIVE

PRESENT
affligga
affligga
affligga
affliggiamo
affliggiate
affliggano

IMPERFECT
affliggessi
affliggessi
affliggesse
affliggessimo
affliggeste
affliggessero

PAST PERFECT
avessi afflitto
avessi afflitto
avesse afflitto
avessimo afflitto
aveste afflitto
avessero afflitto

PASSATO PROSSIMO
abbia afflitto etc
see page 25

PRESENT INFINITIVE
affliggere

PAST INFINITIVE
aver(e) afflitto

GERUND
affliggendo

PAST PARTICIPLE
afflitto

IMPERATIVE
affliggi
affligga
affliggiamo
affliggete
affliggano

AGIRE to act

INDICATIVE

PRESENT
agisco
agisci
agisce
agiamo
agite
agiscono

FUTURE
agirò
agirai
agirà
agiremo
agirete
agiranno

IMPERFECT
agivo
agivi
agiva
agivamo
agivate
agivano

PASSATO REMOTO
agii
agisti
agì
agimmo
agiste
agirono

PASSATO PROSSIMO
ho agito
hai agito
ha agito
abbiamo agito
avete agito
hanno agito

PAST PERFECT
avevo agito
avevi agito
aveva agito
avevamo agito
avevate agito
avevano agito

PAST ANTERIOR
ebbi agito etc
see page 25

FUTURE PERFECT
avrò agito etc
see page 25

CONDITIONAL

PRESENT
agirei
agiresti
agirebbe
agiremmo
agireste
agirebbero

PAST
avrei agito
avresti agito
avrebbe agito
avremmo agito
avreste agito
avrebbero agito

SUBJUNCTIVE

PRESENT
agisca
agisca
agisca
agiamo
agiate
agiscano

IMPERFECT
agissi
agissi
agisse
agissimo
agiste
agissero

PAST PERFECT
avessi agito
avessi agito
avesse agito
avessimo agito
aveste agito
avessero agito

PASSATO PROSSIMO
abbia agito etc
see page 25

PRESENT INFINITIVE
agire

PAST INFINITIVE
aver(e) agito

GERUND
agendo

PAST PARTICIPLE
agito

IMPERATIVE

agisci
agisca
agiamo
agite
agiscano

AIUTARE to help

INDICATIVE

PRESENT
aiuto
aiuti
aiuta
aiutiamo
aiutate
aiutano

FUTURE
aiuterò
aiuterai
aiuterà
aiuteremo
aiuterete
aiuteranno

IMPERFECT
aiutavo
aiutavi
aiutava
aiutavamo
aiutavate
aiutavano

PASSATO REMOTO
aiutai
aiutasti
aiutò
aiutammo
aiutaste
aiutarono

PASSATO PROSSIMO
ho aiutato
hai aiutato
ha aiutato
abbiamo aiutato
avete aiutato
hanno aiutato

PAST PERFECT
avevo aiutato
avevi aiutato
aveva aiutato
avevamo aiutato
avevate aiutato
avevano aiutato

PAST ANTERIOR
ebbi aiutato etc
see *page 25*

FUTURE PERFECT
avrò aiutato etc
see *page 25*

CONDITIONAL

PRESENT
aiuterei
aiuteresti
aiuterebbe
aiuteremmo
aiutereste
aiuterebbero

PAST
avrei aiutato
avresti aiutato
avrebbe aiutato
avremmo aiutato
avreste aiutato
avrebbero aiutato

SUBJUNCTIVE

PRESENT
aiuti
aiuti
aiuti
aiutiamo
aiutiate
aiutino

IMPERFECT
aiutassi
aiutassi
aiutasse
aiutassimo
aiutaste
aiutassero

PAST PERFECT
avessi aiutato
avessi aiutato
avesse aiutato
avessimo aiutato
aveste aiutato
avessero aiutato

PASSATO PROSSIMO
abbia aiutato etc
see *page 25*

PRESENT INFINITIVE
aiutare

PAST INFINITIVE
aver(e) aiutato

GERUND
aiutando

PAST PARTICIPLE
aiutato

IMPERATIVE
aiuta
aiuti
aiutiamo
aiutate
aiutino

ALZARSI to rise, to get up

INDICATIVE

PRESENT
mi alzo
ti alzi
si alza
ci alziamo
vi alzate
si alzano

FUTURE
mi alzerò
ti alzerai
si alzerà
ci alzeremo
vi alzerete
si alzeranno

IMPERFECT
mi alzavo
ti alzavi
si alzava
ci alzavamo
vi alzavate
si alzavano

PASSATO REMOTO
mi alzai
ti alzasti
si alzò
ci alzammo
vi alzaste
si alzarono

PASSATO PROSSIMO
mi sono alzato/a
ti sei alzato/a
si è alzato/a
ci siamo alzati/e
vi siete alzati/e
si sono alzati/e

PAST PERFECT
mi ero alzato/a
ti eri alzato/a
si era alzato/a
ci eravamo alzati/e
vi eravate alzati/e
si erano alzati/e

PAST ANTERIOR
mi fui alzato/a etc
see page 93

FUTURE PERFECT
mi sarò alzato/a etc
see page 93

CONDITIONAL

PRESENT
mi alzerei
ti alzeresti
si alzerebbe
ci alzeremmo
vi alzereste
si alzerebbero

PAST
mi sarei alzato/a
ti saresti alzato/a
si sarebbe alzato/a
ci saremmo alzati/e
vi sareste alzati/e
si sarebbero alzati/e

SUBJUNCTIVE

PRESENT
mi alzi
ti alzi
si alzi
ci alziamo
vi alziate
si alzino

IMPERFECT
mi alzassi
ti alzassi
si alzasse
ci alzassimo
vi alzaste
si alzassero

PAST PERFECT
mi fossi alzato/a
ti fossi alzato/a
si fosse alzato/a
ci fossimo alzati/e
vi foste alzati/e
si fossero alzati/e

PASSATO PROSSIMO
mi sia alzato/a etc
see page 93

PRESENT INFINITIVE
alzarsi

PAST INFINITIVE
essersi alzato/a/i/e

GERUND
alzandomi etc

PAST PARTICIPLE
alzato/a/i/e

IMPERATIVE

alzati
si alzi
alziamoci
alzatevi
si alzino

AMARE to love

INDICATIVE

PRESENT
amo
ami
ama
amiamo
amate
amano

FUTURE
amerò
amerai
amerà
ameremo
amerete
ameranno

IMPERFECT
amavo
amavi
amava
amavamo
amavate
amavano

PASSATO REMOTO
amai
amasti
amò
amammo
amaste
amarono

PASSATO PROSSIMO
ho amato
hai amato
ha amato
abbiamo amato
avete amato
hanno amato

PAST PERFECT
avevo amato
avevi amato
aveva amato
avevamo amato
avevate amato
avevano amato

PAST ANTERIOR
ebbi amato etc
see page 25

FUTURE PERFECT
avrò amato etc
see page 25

CONDITIONAL

PRESENT
amerei
ameresti
amerebbe
ameremmo
amereste
amerebbero

PAST
avrei amato
avresti amato
avrebbe amato
avremmo amato
avreste amato
avrebbero amato

SUBJUNCTIVE

PRESENT
ami
ami
ami
amiamo
amiate
amino

IMPERFECT
amassi
amassi
amasse
amassimo
amaste
amassero

PAST PERFECT
avessi amato
avessi amato
avesse amato
avessimo amato
aveste amato
avessero amato

PASSATO PROSSIMO
abbia amato etc
see page 25

PRESENT INFINITIVE
amare

PAST INFINITIVE
aver(e) amato

GERUND
amando

PAST PARTICIPLE
amato

IMPERATIVE
ama
ami
amiamo
amate
amino

ANDARE to go

INDICATIVE

PRESENT
vado
vai
va
andiamo
andate
vanno

FUTURE
andrò
andrai
andrà
andremo
andrete
andranno

IMPERFECT
andavo
andavi
andava
andavamo
andavate
andavano

PASSATO REMOTO
andai
andasti
andò
andammo
andaste
andarono

PASSATO PROSSIMO
sono andato/a
sei andato/a
è andato/a
siamo andati/e
siete andati/e
sono andati/e

PAST PERFECT
ero andato/a
eri andato/a
era andato/a
eravamo andati/e
eravate andati/e
erano andati/e

PAST ANTERIOR
fui andato/a etc
see page 93

FUTURE PERFECT
sarò andato/a etc
see page 93

CONDITIONAL

PRESENT
andrei
andresti
andrebbe
andremmo
andreste
andrebbero

PAST
sarei andato/a
saresti andato/a
sarebbe andato/a
saremmo andati/e
sareste andati/e
sarebbero andati/e

SUBJUNCTIVE

PRESENT
vada
vada
vada
andiamo
andiate
vadano

IMPERFECT
andassi
andassi
andasse
andassimo
andaste
andassero

PAST PERFECT
fossi andato/a
fossi andato/a
fosse andato/a
fossimo andati/e
foste andati/e
fossero andati/e

PASSATO PROSSIMO
sia andato/a etc
see page 93

PRESENT INFINITIVE
andare

PAST INFINITIVE
esser(e) andato/a/i/e

GERUND
andando

PAST PARTICIPLE
andato/a/i/e

IMPERATIVE

va/vai/va'
vada
andiamo
andate
vadano

NOTES

1 MEANING

to go; to travel *(at a given speed; by a specified means of transport)*; to work *(function)*; to walk; to proceed; to go by *(of time)*; to suit, fit; and used in a variety of structures

2 CONSTRUCTIONS WITH PREPOSITIONS

andare a + *noun*	to go to *(a designated place)*
andare a + *infinitive*	to go and *(perform another action)*
andare da + *person*	to call on someone, to go to that person's home

3 PHRASES AND IDIOMS

la minigonna va di moda	the mini-skirt is in fashion
vado orgoglioso della mia nuova macchina	I'm proud of my new car
andiamo avanti!	let's go on!, let's proceed!
il motore va bene	the engine works/functions well
come va?	how are things?, how are you getting on?
va bene	OK, that's fine, things are fine
andiamo incontro a mio fratello	we are going to meet my brother
andare a piedi	to go on foot
andiamo!	let's go!
non mi va di fare questo lavoro	I don't feel like doing this work

APPARIRE to appear

INDICATIVE

PRESENT
appaio/apparisco
appari/apparisci
appare/apparisce
appariamo/appaiamo
apparite
appaiono/appariscono

PASSATO REMOTO
apparvi/apparii
apparisti
apparve/apparì
apparimmo
appariste
apparvero/apparirono

PAST ANTERIOR
fui apparso/a etc
see page 93

FUTURE
apparirò
apparirai
apparirà
appariremo
apparirete
appariranno

PASSATO PROSSIMO
sono apparso/a
sei apparso/a
è apparso/a
siamo apparsi/e
siete apparsi/e
sono apparsi/e

IMPERFECT
apparivo
apparivi
appariva
apparivamo
apparivate
apparivano

PAST PERFECT
ero apparso/a
eri apparso/a
era apparso/a
eravamo apparsi/e
eravate apparsi/e
erano apparsi/e

FUTURE PERFECT
sarò apparso/a etc
see page 93

CONDITIONAL

PRESENT
apparirei
appariresti
apparirebbe
appariremmo
apparireste
apparirebbero

PAST
sarei apparso/a
saresti apparso/a
sarebbe apparso/a
saremmo apparsi/e
sareste apparsi/e
sarebbero apparsi/e

IMPERATIVE
appari/apparisci
appaia/apparisca
appariamo
apparite
appaiano/appariscano

SUBJUNCTIVE

PRESENT
appaia/apparisca
appaia/apparisca
appaia/apparisca
appariamo
appariate
appaiano/appariscano

IMPERFECT
apparissi
apparissi
apparisse
apparissimo
appariste
apparissero

PAST PERFECT
fossi apparso/a
fossi apparso/a
fosse apparso/a
fossimo apparsi/e
foste apparsi/e
fossero apparsi/e

PASSATO PROSSIMO
sia apparso/a etc
see page 93

PRESENT INFINITIVE
apparire

PAST INFINITIVE
esser(e) apparso/a/i/e

GERUND
apparendo

PAST PARTICIPLE
apparso/a/i/e

Note: further alternative forms of 1st and 3rd persons singular and 3rd person plural of the passato remoto are **apparsi**, **apparse** and **apparsero** respectively

APRIRE to open

INDICATIVE

PRESENT
apro
apri
apre
apriamo
aprite
aprono

FUTURE
aprirò
aprirai
aprirà
apriremo
aprirete
apriranno

IMPERFECT
aprivo
aprivi
apriva
aprivamo
aprivate
aprivano

PASSATO REMOTO
aprii/apersi
apristi
aprì
aprimmo
apriste
aprirono

PASSATO PROSSIMO
ho aperto
hai aperto
ha aperto
abbiamo aperto
avete aperto
hanno aperto

PAST PERFECT
avevo aperto
avevi aperto
aveva aperto
avevamo aperto
avevate aperto
avevano aperto

PAST ANTERIOR
ebbi aperto etc
see *page* 25

FUTURE PERFECT
avrò aperto etc
see *page* 25

CONDITIONAL

PRESENT
aprirei
apriresti
aprirebbe
apriremmo
aprireste
aprirebbero

PAST
avrei aperto
avresti aperto
avrebbe aperto
avremmo aperto
avreste aperto
avrebbero aperto

SUBJUNCTIVE

PRESENT
apra
apra
apra
apriamo
apriate
aprano

IMPERFECT
aprissi
aprissi
aprisse
aprissimo
apriste
aprissero

PAST PERFECT
avessi aperto
avessi aperto
avesse aperto
avessimo aperto
aveste aperto
avessero aperto

PASSATO PROSSIMO
abbia aperto etc
see *page* 25

PRESENT INFINITIVE
aprire

PAST INFINITIVE
aver(e) aperto

GERUND
aprendo

PAST PARTICIPLE
aperto

IMPERATIVE

apri
apra
apriamo
aprite
aprano

ARDERE to burn

INDICATIVE

PRESENT
ardo
ardi
arde
ardiamo
ardete
ardono

FUTURE
arderò
arderai
arderà
arderemo
arderete
arderanno

IMPERFECT
ardevo
ardevi
ardeva
ardevamo
ardevate
ardevano

PASSATO REMOTO
arsi
ardesti
arse
ardemmo
ardeste
arsero

PASSATO PROSSIMO
ho arso
hai arso
ha arso
abbiamo arso
avete arso
hanno arso

PAST PERFECT
avevo arso
avevi arso
aveva arso
avevamo arso
avevate arso
avevano arso

PAST ANTERIOR
ebbi arso etc
see page 25

FUTURE PERFECT
avrò arso etc
see page 25

CONDITIONAL

PRESENT
arderei
arderesti
arderebbe
arderemmo
ardereste
arderebbero

PAST
avrei arso
avresti arso
avrebbe arso
avremmo arso
avreste arso
avrebbero arso

SUBJUNCTIVE

PRESENT
arda
arda
arda
ardiamo
ardiate
ardano

IMPERFECT
ardessi
ardessi
ardesse
ardessimo
ardeste
ardessero

PAST PERFECT
avessi arso
avessi arso
avesse arso
avessimo arso
aveste arso
avessero arso

PASSATO PROSSIMO
abbia arso etc
see page 25

PRESENT INFINITIVE
ardere

PAST INFINITIVE
aver(e) arso

GERUND
ardendo

PAST PARTICIPLE
arso

IMPERATIVE
ardi
arda
ardiamo
ardete
ardano

Note: **ardere** takes the auxiliary **avere** when used with a direct object; when it's used without a direct object, it may take either **avere** or **essere**

ARRIVARE to arrive, to reach

INDICATIVE

PRESENT
arrivo
arrivi
arriva
arriviamo
arrivate
arrivano

FUTURE
arriverò
arriverai
arriverà
arriveremo
arriverete
arriveranno

IMPERFECT
arrivavo
arrivavi
arrivava
arrivavamo
arrivavate
arrivavano

PASSATO REMOTO
arrivai
arrivasti
arrivò
arrivammo
arrivaste
arrivarono

PASSATO PROSSIMO
sono arrivato/a
sei arrivato/a
è arrivato/a
siamo arrivati/e
siete arrivati/e
sono arrivati/e

PAST PERFECT
ero arrivato/a
eri arrivato/a
era arrivato/a
eravamo arrivati/e
eravate arrivati/e
eramo arrivati/e

PAST ANTERIOR
fui arrivato etc
see *page 93*

FUTURE PERFECT
sarò arrivato/a etc
see *page 93*

CONDITIONAL

PRESENT
arriverei
arriveresti
arriverebbe
arriveremmo
arrivereste
arriverebbero

PAST
sarei arrivato/a
saresti arrivato/a
sarebbe arrivato/a
saremmo arrivati/e
sareste arrivati/e
sarebbero arrivati/e

SUBJUNCTIVE

PRESENT
arrivi
arrivi
arrivi
arriviamo
arriviate
arrivino

IMPERFECT
arrivassi
arrivassi
arrivasse
arrivassimo
arrivaste
arrivassero

PAST PERFECT
fossi arrivato/a
fossi arrivato/a
fosse arrivato/a
fossimo arrivati/e
foste arrivati/e
fossero arrivati/e

PASSATO PROSSIMO
sia arrivato/a etc
see *page 93*

PRESENT INFINITIVE
arrivare

PAST INFINITIVE
esser(e) arrivato/a/i/e

GERUND
arrivando

PAST PARTICIPLE
arrivato/a/i/e

IMPERATIVE

arriva
arrivi
arriviamo
arrivate
arrivino

INDICATIVE

PRESENT
asciugo
asciughi
asciuga
asciughiamo
asciugate
asciugano

FUTURE
asciugherò
asciugherai
asciugherà
asciugheremo
asciugherete
asciugheranno

IMPERFECT
asciugavo
asciugavi
asciugava
asciugavamo
asciugavate
asciugavano

PASSATO REMOTO
asciugai
asciugasti
asciugò
asciugammo
asciugaste
asciugarono

PASSATO PROSSIMO
ho asciugato
hai asciugato
ha asciugato
abbiamo asciugato
avete asciugato
hanno asciugato

PAST PERFECT
avevo asciugato
avevi asciugato
aveva asciugato
avevamo asciugato
avevate asciugato
avevano asciugato

PAST ANTERIOR
ebbi asciugato etc
see page 25

FUTURE PERFECT
avrò asciugato etc
see page 25

CONDITIONAL

PRESENT
asciugherei
asciugheresti
asciugherebbe
asciugheremmo
asciughereste
asciugherebbero

PAST
avrei asciugato
avresti asciugato
avrebbe asciugato
avremmo asciugato
avreste asciugato
avrebbero asciugato

SUBJUNCTIVE

PRESENT
asciughi
asciughi
asciughi
asciughiamo
asciughiate
asciughino

IMPERFECT
asciugassi
asciugassi
asciugasse
asciugassimo
asciugaste
asciugassero

PAST PERFECT
avessi asciugato
avessi asciugato
avesse asciugato
avessimo asciugato
aveste asciugato
avessero asciugato

PASSATO PROSSIMO
abbia asciugato etc
see page 25

PRESENT INFINITIVE
asciugare

PAST INFINITIVE
aver(e) asciugato

GERUND
asciugando

PAST PARTICIPLE
asciugato

IMPERATIVE

asciuga
asciughi
asciughiamo
asciugate
asciughino

ASCOLTARE to listen to

INDICATIVE

PRESENT
ascolto
ascolti
ascolta
ascoltiamo
ascoltate
ascoltano

PASSATO REMOTO
ascoltai
ascoltasti
ascoltò
ascoltammo
ascoltaste
ascoltarono

PAST ANTERIOR
ebbi ascoltato etc
see page 25

FUTURE
ascolterò
ascolterai
ascolterà
ascolteremo
ascolterete
ascolteranno

PASSATO PROSSIMO
ho ascoltato
hai ascoltato
ha ascoltato
abbiamo ascoltato
avete ascoltato
hanno ascoltato

IMPERFECT
ascoltavo
ascoltavi
ascoltava
ascoltavamo
ascoltavate
ascoltavano

PAST PERFECT
avevo ascoltato
avevi ascoltato
aveva ascoltato
avevamo ascoltato
avevate ascoltato
avevano ascoltato

FUTURE PERFECT
avrò ascoltato etc
see page 25

CONDITIONAL

PRESENT
ascolterei
ascolteresti
ascolterebbe
ascolteremmo
ascoltereste
ascolterebbero

PAST
avrei ascoltato
avresti ascoltato
avrebbe ascoltato
avremmo ascoltato
avreste ascoltato
avrebbero ascoltato

IMPERATIVE
ascolta
ascolti
ascoltiamo
ascoltate
ascoltino

SUBJUNCTIVE

PRESENT
ascolti
ascolti
ascolti
ascoltiamo
ascoltiate
ascoltino

IMPERFECT
ascoltassi
ascoltassi
ascoltasse
ascoltassimo
ascoltaste
ascoltassero

PAST PERFECT
avessi ascoltato
avessi ascoltato
avesse ascoltato
avessimo ascoltato
aveste ascoltato
avessero ascoltato

PASSATO PROSSIMO
abbia ascoltato etc
see page 25

PRESENT INFINITIVE
ascoltare

PAST INFINITIVE
aver(e) ascoltato

GERUND
ascoltando

PAST PARTICIPLE
ascoltato

ASPETTARE to wait (for)

INDICATIVE

PRESENT
aspetto
aspetti
aspetta
aspettiamo
aspettate
aspettano

FUTURE
aspetterò
aspetterai
aspetterà
aspetteremo
aspetterete
aspetteranno

IMPERFECT
aspettavo
aspettavi
aspettava
aspettavamo
aspettavate
aspettavano

PASSATO REMOTO
aspettai
aspettasti
aspettò
aspettammo
aspettaste
aspettarono

PASSATO PROSSIMO
ho aspettato
hai aspettato
ha aspettato
abbiamo aspettato
avete aspettato
hanno aspettato

PAST PERFECT
avevo aspettato
avevi aspettato
aveva aspettato
avevamo aspettato
avevate aspettato
avevano aspettato

PAST ANTERIOR
ebbi aspettato etc
see *page* 25

FUTURE PERFECT
avrò aspettato etc
see *page* 25

CONDITIONAL

PRESENT
aspetterei
aspetteresti
aspetterebbe
aspetteremmo
aspettereste
aspetterebbero

PAST
avrei aspettato
avresti aspettato
avrebbe aspettato
avremmo aspettato
avreste aspettato
avrebbero aspettato

SUBJUNCTIVE

PRESENT
aspetti
aspetti
aspetti
aspettiamo
aspettiate
aspettino

IMPERFECT
aspettassi
aspettassi
aspettasse
aspettassimo
aspettaste
aspettassero

PAST PERFECT
avessi aspettato
avessi aspettato
avesse aspettato
avessimo aspettato
aveste aspettato
avessero aspettato

PASSATO PROSSIMO
abbia aspettato etc
see *page* 25

PRESENT INFINITIVE
aspettare

PAST INFINITIVE
aver(e) aspettato

GERUND
aspettando

PAST PARTICIPLE
aspettato

IMPERATIVE
aspetta
aspetti
aspettiamo
aspettate
aspettino

INDICATIVE

PRESENT
assumo
assumi
assume
assumiamo
assumete
assumono

FUTURE
assumerò
assumerai
assumerà
assumeremo
assumerete
assumeranno

IMPERFECT
assumevo
assumevi
assumeva
assumevamo
assumevate
assumevano

PASSATO REMOTO
assunsi
assumesti
assunse
assumemmo
assumeste
assunsero

PASSATO PROSSIMO
ho assunto
hai assunto
ha assunto
abbiamo assunto
avete assunto
hanno assunto

PAST PERFECT
avevo assunto
avevi assunto
aveva assunto
avevamo assunto
avevate assunto
avevano assunto

PAST ANTERIOR
ebbi assunto etc
see page 25

FUTURE PERFECT
avrò assunto etc
see page 25

CONDITIONAL

PRESENT
assumerei
assumeresti
assumerebbe
assumeremmo
assumereste
assumerebbero

PAST
avrei assunto
avresti assunto
avrebbe assunto
avremmo assunto
avreste assunto
avrebbero assunto

SUBJUNCTIVE

PRESENT
assuma
assuma
assuma
assumiamo
assumiate
assumano

IMPERFECT
assumessi
assumessi
assumesse
assumessimo
assumeste
assumessero

PAST PERFECT
avessi assunto
avessi assunto
avesse assunto
avessimo assunto
aveste assunto
avessero assunto

PASSATO PROSSIMO
abbia assunto etc
see page 25

PRESENT INFINITIVE
assumere

PAST INFINITIVE
aver(e) assunto

GERUND
assumendo

PAST PARTICIPLE
assunto

IMPERATIVE
assumi
assuma
assumiamo
assumete
assumano

ATTRAVERSARE to cross

INDICATIVE

PRESENT
attraverso
attraversi
attraversa
attraversiamo
attraversate
attraversano

PASSATO REMOTO
attraversai
attraversasti
attraversò
attraversammo
attraversaste
attraversarono

PAST ANTERIOR
ebbi attraversato etc
see page 25

FUTURE
attraverserò
attraverserai
attraverserà
attraverseremo
attraverserete
attraverseranno

PASSATO PROSSIMO
ho attraversato
hai attraversato
ha attraversato
abbiamo attraversato
avete attraversato
hanno attraversato

IMPERFECT
attraversavo
attraversavi
attraversava
attraversavamo
attraversavate
attraversavano

PAST PERFECT
avevo attraversato
avevi attraversato
aveva attraversato
avevamo attraversato
avevate attraversato
avevano attraversato

FUTURE PERFECT
avrò attraversato etc
see page 25

CONDITIONAL

PRESENT
attraverserei
attraverseresti
attraverserebbe
attraverseremmo
attraversereste
attraverserebbero

PAST
avrei attraversato
avresti attraversato
avrebbe attraversato
avremmo attraversato
avreste attraversato
avrebbero attraversato

SUBJUNCTIVE

PRESENT
attraversi
attraversi
attraversi
attraversiamo
attraversiate
attraversino

IMPERFECT
attraversassi
attraversassi
attraversasse
attraversassimo
attraversaste
attraversassero

PAST PERFECT
avessi attraversato
avessi attraversato
avesse attraversato
avessimo attraversato
aveste attraversato
avessero attraversato

PASSATO PROSSIMO
abbia attraversato etc
see page 25

PRESENT INFINITIVE
attraversare

PAST INFINITIVE
aver(e) attraversato

GERUND
attraversando

PAST PARTICIPLE
attraversato

IMPERATIVE

attraversa
attraversi
attraversiamo
attraversate
attraversino

AUMENTARE to increase

INDICATIVE

PRESENT
aumento
aumenti
aumenta
aumentiamo
aumentate
aumentano

FUTURE
aumenterò
aumenterai
aumenterà
aumenteremo
aumenterete
aumenteranno

IMPERFECT
aumentavo
aumentavi
aumentava
aumentavamo
aumentavate
aumentavano

PASSATO REMOTO
aumentai
aumentasti
aumentò
aumentammo
aumentaste
aumentarono

PASSATO PROSSIMO
ho aumentato
hai aumentato
ha aumentato
abbiamo aumentato
avete aumentato
hanno aumentato

PAST PERFECT
avevo aumentato
avevi aumentato
aveva aumentato
avevamo aumentato
avevate aumentato
avevano aumentato

PAST ANTERIOR
ebbi aumentato etc
see page 25

FUTURE PERFECT
avrò aumentato etc
see page 25

CONDITIONAL

PRESENT
aumenterei
aumenteresti
aumenterebbe
aumenteremmo
aumentereste
aumenterebbero

PAST
avrei aumentato
avresti aumentato
avrebbe aumentato
avremmo aumentato
avreste aumentato
avrebbero aumentato

SUBJUNCTIVE

PRESENT
aumenti
aumenti
aumenti
aumentiamo
aumentiate
aumentino

IMPERFECT
aumentassi
aumentassi
aumentasse
aumentassimo
aumentaste
aumentassero

PAST PERFECT
avessi aumentato
avessi aumentato
avesse aumentato
avessimo aumentato
aveste aumentato
avessero aumentato

PASSATO PROSSIMO
abbia aumentato etc
see page 25

PRESENT INFINITIVE
aumentare

PAST INFINITIVE
aver(e) aumentato

GERUND
aumentando

PAST PARTICIPLE
aumentato

IMPERATIVE
aumenta
aumenti
aumentiamo
aumentate
aumentino

AVERE to have

INDICATIVE

PRESENT
ho
hai
ha
abbiamo
avete
hanno

FUTURE
avrò
avrai
avrà
avremo
avrete
avranno

IMPERFECT
avevo
avevi
aveva
avevamo
avevate
avevano

PASSATO REMOTO
ebbi
avesti
ebbe
avemmo
aveste
ebbero

PASSATO PROSSIMO
ho avuto
hai avuto
ha avuto
abbiamo avuto
avete avuto
hanno avuto

PAST PERFECT
avevo avuto
avevi avuto
aveva avuto
avevamo avuto
avevate avuto
avevano avuto

PAST ANTERIOR
ebbi avuto etc
see *PASSATO REMOTO*

FUTURE PERFECT
avrò avuto etc
see *FUTURE*

CONDITIONAL

PRESENT
avrei
avresti
avrebbe
avremmo
avreste
avrebbero

PAST
avrei avuto
avresti avuto
avrebbe avuto
avremmo avuto
avreste avuto
avrebbero avuto

SUBJUNCTIVE

PRESENT
abbia
abbia
abbia
abbiamo
abbiate
abbiano

IMPERFECT
avessi
avessi
avesse
avessimo
aveste
avessero

PAST PERFECT
avessi avuto
avessi avuto
avesse avuto
avessimo avuto
aveste avuto
avessero avuto

PASSATO PROSSIMO
abbia avuto etc
see *PRESENT SUBJUNCTIVE*

PRESENT INFINITIVE
avere

PAST INFINITIVE
aver(e) avuto

GERUND
avendo

PAST PARTICIPLE
avuto

IMPERATIVE

abbi
abbia
abbiamo
abbiate
abbiano

NOTES

1 MEANING

to have, to own, to possess, to get, to obtain

2 PHRASES AND IDIOMS

l'ho avuto per pochi soldi	I got it cheaply
ho in mente di scrivere un libro	I intend to write a book
mia sorella ha 18 anni	my sister is 18 years old
la maestra ce l'ha con me	the teacher is angry with me
hanno da fare stasera	they've got something to do this evening
abbiamo i miei genitori a pranzo domani	we'll have my parents to lunch tomorrow
ho sete	I'm thirsty
abbiamo fame	we are hungry
ho caldo/freddo/sonno	I feel hot/cold/sleepy
ho voglia di mangiare	I feel like eating, I feel hungry
tu hai qualcosa per la testa	you've got something on your mind
quanti ne abbiamo oggi?	what's the date today?
ho mal di testa	I've got a headache
ha fegato	he/she has got guts

AVVOLGERE to wrap (up)

INDICATIVE

PRESENT
avvolgo
avvolgi
avvolge
avvolgiamo
avvolgete
avvolgono

PASSATO REMOTO
avvolsi
avvolgesti
avvolse
avvolgemmo
avvolgeste
avvolsero

PAST ANTERIOR
ebbi avvolto etc
see *page 25*

FUTURE
avvolgerò
avvolgerai
avvolgerà
avvolgeremo
avvolgerete
avvolgeranno

PASSATO PROSSIMO
ho avvolto
hai avvolto
ha avvolto
abbiamo avvolto
avete avvolto
hanno avvolto

IMPERFECT
avvolgevo
avvolgevi
avvolgeva
avvolgevamo
avvolgevate
avvolgevano

PAST PERFECT
avevo avvolto
avevi avvolto
aveva avvolto
avevamo avvolto
avevate avvolto
avevano avvolto

FUTURE PERFECT
avrò avvolto etc
see *page 25*

CONDITIONAL

PRESENT
avvolgerei
avvolgeresti
avvolgerebbe
avvolgeremmo
avvolgereste
avvolgerebbero

PAST
avrei avvolto
avresti avvolto
avrebbe avvolto
avremmo avvolto
avreste avvolto
avrebbero avvolto

IMPERATIVE
avvolgi
avvolga
avvolgiamo
avvolgete
avvolgano

SUBJUNCTIVE

PRESENT
avvolga
avvolga
avvolga
avvolgiamo
avvolgiate
avvolgano

IMPERFECT
avvolgessi
avvolgessi
avvolgesse
avvolgessimo
avvolgeste
avvolgessero

PAST PERFECT
avessi avvolto
avessi avvolto
avesse avvolto
avessimo avvolto
aveste avvolto
avessero avvolto

PAST
abbia avvolto etc
see *page 25*

PRESENT INFINITIVE
avvolgere

PAST INFINITIVE
aver(e) avvolto

GERUND
avvolgendo

PAST PARTICIPLE
avvolto

INDICATIVE

PRESENT
bacio
baci
bacia
baciamo
baciate
baciano

FUTURE
bacerò
bacerai
bacerà
baceremo
bacerete
baceranno

IMPERFECT
baciavo
baciavi
baciava
baciavamo
baciavate
baciavano

PASSATO REMOTO
baciai
baciasti
baciò
baciammo
baciaste
baciarono

PASSATO PROSSIMO
ho baciato
hai baciato
ha baciato
abbiamo baciato
avete baciato
hanno baciato

PAST PERFECT
avevo baciato
avevi baciato
aveva baciato
avevamo baciato
avevate baciato
avevano baciato

PAST ANTERIOR
ebbi baciato etc
see page 25

FUTURE PERFECT
avrò baciato etc
see page 25

CONDITIONAL

PRESENT
bacerei
baceresti
bacerebbe
baceremmo
bacereste
bacerebbero

PAST
avrei baciato
avresti baciato
avrebbe baciato
avremmo baciato
avreste baciato
avrebbero baciato

SUBJUNCTIVE

PRESENT
baci
baci
baci
baciamo
baciate
bacino

IMPERFECT
baciassi
baciassi
baciasse
baciassimo
baciaste
baciassero

PAST PERFECT
avessi baciato
avessi baciato
avesse baciato
avessimo baciato
aveste baciato
avessero baciato

PASSAO PROSSIMO
abbia baciato etc
see page 25

PRESENT INFINITIVE
baciare

PAST INFINITIVE
aver(e) baciato

GERUND
baciando

PAST PARTICIPLE
baciato

IMPERATIVE
bacia
baci
baciamo
baciate
bacino

BAGNARE to wet, to dampen, to soak

INDICATIVE

PRESENT
bagno
bagni
bagna
bagniamo
bagnate
bagnano

FUTURE
bagnerò
bagnerai
bagnerà
bagneremo
bagnerete
bagneranno

IMPERFECT
bagnavo
bagnavi
bagnava
bagnavamo
bagnavate
bagnavano

PASSATO REMOTO
bagnai
bagnasti
bagnò
bagnammo
bagnaste
bagnarono

PASSATO PROSSIMO
ho bagnato
hai bagnato
ha bagnato
abbiamo bagnato
avete bagnato
hanno bagnato

PAST PERFECT
avevo bagnato
avevi bagnato
aveva bagnato
avevamo bagnato
avevate bagnato
avevano bagnato

PAST ANTERIOR
ebbi bagnato etc
see page 25

FUTURE PERFECT
avrò bagnato etc
see page 25

CONDITIONAL

PRESENT
bagnerei
bagneresti
bagnerebbe
bagneremmo
bagnereste
bagnerebbero

PAST
avrei bagnato
avresti bagnato
avrebbe bagnato
avremmo bagnato
avreste bagnato
avrebbero bagnato

SUBJUNCTIVE

PRESENT
bagni
bagni
bagni
bagniamo
bagniate
bagnino

IMPERFECT
bagnassi
bagnassi
bagnasse
bagnassimo
bagnaste
bagnassero

PAST PERFECT
avessi bagnato
avessi bagnato
avesse bagnato
avessimo bagnato
aveste bagnato
avessero bagnato

PASSATO PROSSIMO
abbia bagnato etc
see page 25

PRESENT INFINITIVE
bagnare

PAST INFINITIVE
aver(e) bagnato

GERUND
bagnando

PAST PARTICIPLE
bagnato

IMPERATIVE
bagna
bagni
bagniamo
bagnate
bagnino

INDICATIVE

PRESENT
bevo
bevi
beve
beviamo
bevete
bevono

FUTURE
berrò
berrai
berrà
berremo
berrete
berranno

IMPERFECT
bevevo
bevevi
beveva
bevevamo
bevevate
bevevano

PASSATO REMOTO
bevvi/bevetti
bevesti
bevve/bevette
bevemmo
beveste
bevvero/bevettero

PASSATO PROSSIMO
ho bevuto
hai bevuto
ha bevuto
abbiamo bevuto
avete bevuto
hanno bevuto

PAST PERFECT
avevo bevuto
avevi bevuto
aveva bevuto
avevamo bevuto
avevate bevuto
avevano bevuto

PAST ANTERIOR
ebbi bevuto etc
see page 25

FUTURE PERFECT
avrò bevuto etc
see page 25

CONDITIONAL

PRESENT
berrei
berresti
berrebbe
berremmo
berreste
berrebbero

PAST
avrei bevuto
avresti bevuto
avrebbe bevuto
avremmo bevuto
avreste bevuto
avrebbero bevuto

SUBJUNCTIVE

PRESENT
beva
beva
beva
beviamo
beviate
bevano

IMPERFECT
bevessi
bevessi
bevesse
bevessimo
beveste
bevessero

PAST PERFECT
avessi bevuto
avessi bevuto
avesse bevuto
avessimo bevuto
aveste bevuto
avessero bevuto

PASSATO PROSSIMO
abbia bevuto etc
see page 25

PRESENT INFINITIVE
bere

PAST INFINITIVE
aver(e) bevuto

GERUND
bevendo

PAST PARTICIPLE
bevuto

IMPERATIVE
bevi
beva
beviamo
bevete
bevano

BOLLIRE to boil

INDICATIVE

PRESENT
bollo
bolli
bolle
bolliamo
bollite
bollono

FUTURE
bollirò
bollirai
bollirà
bolliremo
bollirete
bolliranno

IMPERFECT
bollivo
bollivi
bolliva
bollivamo
bollivate
bollivano

PASSATO REMOTO
bollii
bollisti
bollì
bollimmo
bolliste
bollirono

PASSATO PROSSIMO
ho bollito
hai bollito
ha bollito
abbiamo bollito
avete bollito
hanno bollito

PAST PERFECT
avevo bollito
avevi bollito
aveva bollito
avevamo bollito
avevate bollito
avevano bollito

PAST ANTERIOR
ebbi bollito etc
see *page* 25

FUTURE PERFECT
avrò bollito etc
see *page* 25

CONDITIONAL

PRESENT
bollirei
bolliresti
bollirebbe
bolliremmo
bollireste
bollirebbero

PAST
avrei bollito
avresti bollito
avrebbe bollito
avremmo bollito
avreste bollito
avrebbero bollito

SUBJUNCTIVE

PRESENT
bolla
bolla
bolla
bolliamo
bolliate
bollano

IMPERFECT
bollissi
bollissi
bollisse
bollissimo
bolliste
bollissero

PAST PERFECT
avessi bollito
avessi bollito
avesse bollito
avessimo bollito
aveste bollito
avessero bollito

PASSATO PROSSIMO
abbia bollito etc
see *page* 25

PRESENT INFINITIVE
bollire

PAST INFINITIVE
aver(e) bollito

GERUND
bollendo

PAST PARTICIPLE
bollito

IMPERATIVE
bolli
bolla
bolliamo
bollite
bollano

BUSSARE to knock

INDICATIVE

PRESENT
busso
bussi
bussa
bussiamo
bussate
bussano

FUTURE
busserò
busserai
busserà
busseremo
busserete
busseranno

IMPERFECT
bussavo
bussavi
bussava
bussavamo
bussavate
bussavano

PASSATO REMOTO
bussai
bussasti
bussò
bussammo
bussaste
bussarono

PASSATO PROSSIMO
ho bussato
hai bussato
ha bussato
abbiamo bussato
avete bussato
hanno bussato

PAST PERFECT
avevo bussato
avevi bussato
aveva bussato
avevamo bussato
avevate bussato
avevano bussato

PAST ANTERIOR
ebbi bussato etc
see page 25

FUTURE PERFECT
avrò bussato etc
see page 25

CONDITIONAL

PRESENT
busserei
busseresti
busserebbe
busseremmo
bussereste
busserebbero

PAST
avrei bussato
avresti bussato
avrebbe bussato
avremmo bussato
avreste bussato
avrebbero bussato

SUBJUNCTIVE

PRESENT
bussi
bussi
bussi
bussiamo
bussiate
bussino

IMPERFECT
bussassi
bussassi
bussasse
bussassimo
bussaste
bussassero

PAST PERFECT
avessi bussato
avessi bussato
avesse bussato
avessimo bussato
aveste bussato
avessero bussato

PASSATO PROSSIMO
abbia bussato etc
see page 25

PRESENT INFINITIVE
bussare

PAST INFINITIVE
aver(e) bussato

GERUND
bussando

PAST PARTICIPLE
bussato

IMPERATIVE
bussa
bussi
bussiamo
bussate
bussino

CADERE to fall

INDICATIVE

PRESENT
cado
cadi
cade
cadiamo
cadete
cadono

FUTURE
cadrò
cadrai
cadrà
cadremo
cadrete
cadranno

IMPERFECT
cadevo
cadevi
cadeva
cadevamo
cadevate
cadevano

PASSATO REMOTO
caddi
cadesti
cadde
cademmo
cadeste
caddero

PASSATO PROSSIMO
sono caduto/a
sei caduto/a
è caduto/a
siamo caduti/e
siete caduti/e
sono caduti/e

PAST PERFECT
ero caduto/a
eri caduto/a
era caduto/a
eravamo caduti/e
eravate caduti/e
erano caduti/e

PAST ANTERIOR
fui caduto/a etc
see page 93

FUTURE PERFECT
sarò caduto/a etc
see page 93

CONDITIONAL

PRESENT
cadrei
cadresti
cadrebbe
cadremmo
cadreste
cadrebbero

PAST
sarei caduto/a
saresti caduto/a
sarebbe caduto/a
saremmo caduti/e
sareste caduti/e
sarebbero caduti/e

SUBJUNCTIVE

PRESENT
cada
cada
cada
cadiamo
cadiate
cadano

IMPERFECT
cadessi
cadessi
cadesse
cadessimo
cadeste
cadessero

PAST PERFECT
fossi caduto/a
fossi caduto/a
fosse caduto/a
fossimo caduti/e
foste caduti/e
fossero caduti/e

PASSATO PROSSIMO
sia caduto/a etc
see page 93

PRESENT INFINITIVE
cadere

PAST INFINITIVE
esser(e) caduto/a/i/e

GERUND
cadendo

PAST PARTICIPLE
caduto/a/i/e

IMPERATIVE
cadi
cada
cadiamo
cadete
cadano

NOTES

1 MEANING

to fall (down), to drop

2 CONSTRUCTIONS WITH PREPOSITIONS

cadere da + *noun*	to fall from *(something)*
cadere in + *noun*	to fall into *(something)*

3 PHRASES AND IDIOMS

mille uomini sono caduti in questa battaglia	a thousand men have fallen in this battle
il governo è caduto	the government has fallen
quest'anno il Natale cade di sabato	this year Christmas day falls on a Saturday
questa giacca cade bene	this jacket hangs well
il deputato è caduto in disgrazia	the representative has fallen out of favour/into disgrace
cade sempre in piedi	he/she always lands on his/her feet
lascia cadere l'argomento, per favore!	please drop the subject!
questa macchina cade a pezzi	this car is falling to pieces
questa notizia cade a proposito	this piece of news is coming just at the right time
la notizia mi ha fatto cadere dalle nuvole	I was taken aback by/flabbergasted at the news
stavo cadendo dal sonno	I was dog tired
sarebbe come cadere dalla padella nella brace	that would be like jumping out of the frying pan into the fire

CAMBIARE to change

INDICATIVE

PRESENT
cambio
cambi
cambia
cambiamo
cambiate
cambiano

FUTURE
cambierò
cambierai
cambierà
cambieremo
cambierete
cambieranno

IMPERFECT
cambiavo
cambiavi
cambiava
cambiavamo
cambiavate
cambiavano

PASSATO REMOTO
cambiai
cambiasti
cambiò
cambiammo
cambiaste
cambiarono

PASSATO PROSSIMO
ho cambiato
hai cambiato
ha cambiato
abbiamo cambiato
avete cambiato
hanno cambiato

PAST PERFECT
avevo cambiato
avevi cambiato
aveva cambiato
avevamo cambiato
avevate cambiato
avevano cambiato

PAST ANTERIOR
ebbi cambiato etc
see page 25

FUTURE PERFECT
avrò cambiato etc
see page 25

CONDITIONAL

PRESENT
cambierei
cambieresti
cambierebbe
cambieremmo
cambiereste
cambierebbero

PAST
avrei cambiato
avresti cambiato
avrebbe cambiato
avremmo cambiato
avreste cambiato
avrebbero cambiato

SUBJUNCTIVE

PRESENT
cambi
cambi
cambi
cambiamo
cambiate
cambino

IMPERFECT
cambiassi
cambiassi
cambiasse
cambiassimo
cambiaste
cambiassero

PAST PERFECT
avessi cambiato
avessi cambiato
avesse cambiato
avessimo cambiato
aveste cambiato
avessero cambiato

PASSATO PROSSIMO
abbia cambiato etc
see page 25

PRESENT INFINITIVE
cambiare

PAST INFINITIVE
aver(e) cambiato

GERUND
cambiando

PAST PARTICIPLE
cambiato

IMPERATIVE
cambia
cambi
cambiamo
cambiate
cambino

INDICATIVE

PRESENT
cammino
cammini
cammina
camminiamo
camminate
camminano

FUTURE
camminerò
camminerai
camminerà
cammineremo
camminerete
cammineranno

IMPERFECT
camminavo
camminavi
camminava
camminavamo
camminavate
camminavano

PASSATO REMOTO
camminai
camminasti
camminò
camminammo
camminaste
camminarono

PASSATO PROSSIMO
ho camminato
hai camminato
ha camminato
abbiamo camminato
avete camminato
hanno camminato

PAST PERFECT
avevo camminato
avevi camminato
aveva camminato
avevamo camminato
avevate camminato
avevano camminato

PAST ANTERIOR
ebbi camminato etc
see page 25

FUTURE PERFECT
avrò camminato etc
see page 25

CONDITIONAL

PRESENT
camminerei
cammineresti
camminerebbe
cammineremmo
camminereste
camminerebbero

PAST
avrei camminato
avresti camminato
avrebbe camminato
avremmo camminato
avreste camminato
avrebbero camminato

SUBJUNCTIVE

PRESENT
cammini
cammini
cammini
camminiamo
camminiate
camminino

IMPERFECT
camminassi
camminassi
camminasse
camminassimo
camminaste
camminassero

PAST PERFECT
avessi camminato
avessi camminato
avesse camminato
avessimo camminato
aveste camminato
avessero camminato

PASSATO PROSSIMO
abbia camminato etc
see page 25

PRESENT INFINITIVE
camminare

PAST INFINITIVE
aver(e) camminato

GERUND
camminando

PAST PARTICIPLE
camminato

IMPERATIVE
cammina
cammini
camminiamo
camminate
camminino

CAPIRE to understand

INDICATIVE

PRESENT
capisco
capisci
capisce
capiamo
capite
capiscono

FUTURE
capirò
capirai
capirà
capiremo
capirete
capiranno

IMPERFECT
capivo
capivi
capiva
capivamo
capivate
capivano

PASSATO REMOTO
capii
capisti
capì
capimmo
capiste
capirono

PASSATO PROSSIMO
ho capito
hai capito
ha capito
abbiamo capito
avete capito
hanno capito

PAST PERFECT
avevo capito
avevi capito
aveva capito
avevamo capito
avevate capito
avevano capito

PAST ANTERIOR
ebbi capito etc
see page 25

FUTURE PERFECT
avrò capito etc
see page 25

CONDITIONAL

PRESENT
capirei
capiresti
capirebbe
capiremmo
capireste
capirebbero

PAST
avrei capito
avresti capito
avrebbe capito
avremmo capito
avreste capito
avrebbero capito

SUBJUNCTIVE

PRESENT
capisca
capisca
capisca
capiamo
capiate
capiscano

IMPERFECT
capissi
capissi
capisse
capissimo
capiste
capissero

PAST PERFECT
avessi capito
avessi capito
avesse capito
avessimo capito
aveste capito
avessero capito

PASSATO PROSSIMO
abbia capito etc
see page 25

PRESENT INFINITIVE
capire

PAST INFINITIVE
aver(e) capito

GERUND
capendo

PAST PARTICIPLE
capito

IMPERATIVE
capisci
capisca
capiamo
capite
capiscano

INDICATIVE

PRESENT
cerco
cerchi
cerca
cerchiamo
cercate
cercano

PASSATO REMOTO
cercai
cercasti
cercò
cercammo
cercaste
cercarono

PAST ANTERIOR
ebbi cercato etc
see page 25

FUTURE
cercherò
cercherai
cercherà
cercheremo
cercherete
cercheranno

PASSATO PROSSIMO
ho cercato
hai cercato
ha cercato
abbiamo cercato
avete cercato
hanno cercato

IMPERFECT
cercavo
cercavi
cercava
cercavamo
cercavate
cercavano

PAST PERFECT
avevo cercato
avevi cercato
aveva cercato
avevamo cercato
avevate cercato
avevano cercato

FUTURE PERFECT
avrò cercato etc
see page 25

CONDITIONAL

PRESENT
cercherei
cercheresti
cercherebbe
cercheremmo
cerchereste
cercherebbero

PAST
avrei cercato
avresti cercato
avrebbe cercato
avremmo cercato
avreste cercato
avrebbero cercato

IMPERATIVE
cerca
cerchi
cerchiamo
cercate
cerchino

SUBJUNCTIVE

PRESENT
cerchi
cerchi
cerchi
cerchiamo
cerchiate
cerchino

IMPERFECT
cercassi
cercassi
cercasse
cercassimo
cercaste
cercassero

PAST PERFECT
avessi cercato
avessi cercato
avesse cercato
avessimo cercato
aveste cercato
avessero cercato

PASSATO PROSSIMO
abbia cercato etc
see page 25

PRESENT INFINITIVE
cercare

PAST INFINITIVE
aver(e) cercato

GERUND
cercando

PAST PARTICIPLE
cercato

CHIAMARE to call

INDICATIVE

PRESENT
chiamo
chiami
chiama
chiamiamo
chiamate
chiamano

FUTURE
chiamerò
chiamerai
chiamerà
chiameremo
chiamerete
chiameranno

IMPERFECT
chiamavo
chiamavi
chiamava
chiamavamo
chiamavate
chiamavano

PASSATO REMOTO
chiamai
chiamasti
chiamò
chiamammo
chiamaste
chiamarono

PASSATO PROSSIMO
ho chiamato
hai chiamato
ha chiamato
abbiamo chiamato
avete chiamato
hanno chiamato

PAST PERFECT
avevo chiamato
avevi chiamato
aveva chiamato
avevamo chiamato
avevate chiamato
avevano chiamato

PAST ANTERIOR
ebbi chiamato etc
see page 25

FUTURE PERFECT
avrò chiamato etc
see page 25

CONDITIONAL

PRESENT
chiamerei
chiameresti
chiamerebbe
chiameremmo
chiamereste
chiamerebbero

PAST
avrei chiamato
avresti chiamato
avrebbe chiamato
avremmo chiamato
avreste chiamato
avrebbero chiamato

SUBJUNCTIVE

PRESENT
chiami
chiami
chiami
chiamiamo
chiamiate
chiamino

IMPERFECT
chiamassi
chiamassi
chiamasse
chiamassimo
chiamaste
chiamassero

PAST PERFECT
avessi chiamato
avessi chiamato
avesse chiamato
avessimo chiamato
aveste chiamato
avessero chiamato

PASSATO PROSSIMO
abbia chiamato etc
see page 25

PRESENT INFINITIVE
chiamare

PAST INFINITIVE
aver(e) chiamato

GERUND
chiamando

PAST PARTICIPLE
chiamato

IMPERATIVE
chiama
chiami
chiamiamo
chiamate
chiamino

INDICATIVE

PRESENT
chiedo
chiedi
chiede
chiediamo
chiedete
chiedono

FUTURE
chiederò
chiederai
chiederà
chiederemo
chiederete
chiederanno

IMPERFECT
chiedevo
chiedevi
chiedeva
chiedevamo
chiedevate
chiedevano

PASSATO REMOTO
chiesi
chiedesti
chiese
chiedemmo
chiedeste
chiesero

PASSATO PROSSIMO
ho chiesto
hai chiesto
ha chiesto
abbiamo chiesto
avete chiesto
hanno chiesto

PAST PERFECT
avevo chiesto
avevi chiesto
aveva chiesto
avevamo chiesto
avevate chiesto
avevano chiesto

PAST ANTERIOR
ebbi chiesto etc
see page 25

FUTURE PERFECT
avrò chiesto etc
see page 25

CONDITIONAL

PRESENT
chiederei
chiederesti
chiederebbe
chiederemmo
chiedereste
chiederebbero

PAST
avrei chiesto
avresti chiesto
avrebbe chiesto
avremmo chiesto
avreste chiesto
avrebbero chiesto

SUBJUNCTIVE

PRESENT
chieda
chieda
chieda
chiediamo
chiediate
chiedano

IMPERFECT
chiedessi
chiedessi
chiedesse
chiedessimo
chiedeste
chiedessero

PAST PERFECT
avessi chiesto
avessi chiesto
avesse chiesto
avessimo chiesto
aveste chiesto
avessero chiesto

PASSATO PROSSIMO
abbia chiesto etc
see page 25

PRESENT INFINITIVE
chiedere

PAST INFINITIVE
aver(e) chiesto

GERUND
chiedendo

PAST PARTICIPLE
chiesto

IMPERATIVE

chiedi
chieda
chiediamo
chiedete
chiedano

CHIUDERE to close

INDICATIVE

PRESENT
chiudo
chiudi
chiude
chiudiamo
chiudete
chiudono

FUTURE
chiuderò
chiuderai
chiuderà
chiuderemo
chiuderete
chiuderanno

IMPERFECT
chiudevo
chiudevi
chiudeva
chiudevamo
chiudevate
chiudevano

PASSATO REMOTO
chiusi
chiudesti
chiuse
chiudemmo
chiudeste
chiusero

PASSATO PROSSIMO
ho chiuso
hai chiuso
ha chiuso
abbiamo chiuso
avete chiuso
hanno chiuso

PAST PERFECT
avevo chiuso
avevi chiuso
aveva chiuso
avevamo chiuso
avevate chiuso
avevano chiuso

PAST ANTERIOR
ebbi chiuso etc
see page 25

FUTURE PERFECT
avrò chiuso etc
see page 25

CONDITIONAL

PRESENT
chiuderei
chiuderesti
chiuderebbe
chiuderemmo
chiudereste
chiuderebbero

PAST
avrei chiuso
avresti chiuso
avrebbe chiuso
avremmo chiuso
avreste chiuso
avrebbero chiuso

SUBJUNCTIVE

PRESENT
chiuda
chiuda
chiuda
chiudiamo
chiudiate
chiudano

IMPERFECT
chiudessi
chiudessi
chiudesse
chiudessimo
chiudeste
chiudessero

PAST PERFECT
avessi chiuso
avessi chiuso
avesse chiuso
avessimo chiuso
aveste chiuso
avessero chiuso

PASSATO PROSSIMO
abbia chiuso etc
see page 25

PRESENT INFINITIVE
chiudere

PAST INFINITIVE
aver(e) chiuso

GERUND
chiudendo

PAST PARTICIPLE
chiuso

IMPERATIVE

chiudi
chiuda
chiudiamo
chiudete
chiudano

INDICATIVE

PRESENT
colgo
cogli
coglie
cogliamo
cogliete
colgono

FUTURE
coglierò
coglierai
coglierà
coglieremo
coglierete
coglieranno

IMPERFECT
coglievo
coglievi
coglieva
coglievamo
coglievate
coglievano

PASSATO REMOTO
colsi
cogliesti
colse
cogliemmo
coglieste
colsero

PASSATO PROSSIMO
ho colto
hai colto
ha colto
abbiamo colto
avete colto
hanno colto

PAST PERFECT
avevo colto
avevi colto
aveva colto
avevamo colto
avevate colto
avevano colto

PAST ANTERIOR
ebbi colto etc
see page 25

FUTURE PERFECT
avrò colto etc
see page 25

CONDITIONAL

PRESENT
coglierei
coglieresti
coglierebbe
coglieremmo
cogliereste
coglierebbero

PAST
avrei colto
avresti colto
avrebbe colto
avremmo colto
avreste colto
avrebbero colto

SUBJUNCTIVE

PRESENT
colga
colga
colga
cogliamo
cogliate
colgano

IMPERFECT
cogliessi
cogliessi
cogliesse
cogliessimo
coglieste
cogliessero

PAST PERFECT
avessi colto
avessi colto
avesse colto
avessimo colto
aveste colto
avessero colto

PASSATO PROSSIMO
abbia colto etc
see page 25

PRESENT INFINITIVE
cogliere

PAST INFINITIVE
aver(e) colto

GERUND
cogliendo

PAST PARTICIPLE
colto

IMPERATIVE

cogli
colga
cogliamo
cogliete
colgano

COLPIRE to hit

INDICATIVE

PRESENT
colpisco
colpisci
colpisce
colpiamo
colpite
colpiscono

PASSATO REMOTO
colpii
colpisti
colpì
colpimmo
colpiste
colpirono

PAST ANTERIOR
ebbi colpito etc
see page 25

FUTURE
colpirò
colpirai
colpirà
colpiremo
colpirete
colpiranno

PASSATO PROSSIMO
ho colpito
hai colpito
ha colpito
abbiamo colpito
avete colpito
hanno colpito

IMPERFECT
colpivo
colpivi
colpiva
colpivamo
colpivate
colpivano

PAST PERFECT
avevo colpito
avevi colpito
aveva colpito
avevamo colpito
avevate colpito
avevano colpito

FUTURE PERFECT
avrò colpito etc
see page 25

CONDITIONAL

PRESENT
colpirei
colpiresti
colpirebbe
colpiremmo
colpireste
colpirebbero

PAST
avrei colpito
avresti colpito
avrebbe colpito
avremmo colpito
avreste colpito
avrebbero colpito

IMPERATIVE

colpisci
colpisca
colpiamo
colpite
colpiscano

SUBJUNCTIVE

PRESENT
colpisca
colpisca
colpisca
colpiamo
colpiate
colpiscano

IMPERFECT
colpissi
colpissi
colpisse
colpissimo
colpiste
colpissero

PAST PERFECT
avessi colpito
avessi colpito
avesse colpito
avessimo colpito
aveste colpito
avessero colpito

PASSATO PROSSIMO
abbia colpito etc
see page 25

PRESENT INFINITIVE
colpire

PAST INFINITIVE
aver(e) colpito

GERUND
colpendo

PAST PARTICIPLE
colpito

COMBATTERE to fight, to battle

INDICATIVE

PRESENT
combatto
combatti
combatte
combattiamo
combattete
combattono

FUTURE
combatterò
combatterai
combatterà
combatteremo
combatterete
combatteranno

IMPERFECT
combattevo
combattevi
combatteva
combattevamo
combattevate
combattevano

PASSATO REMOTO
combattei/combattetti
combattesti
combatté/combattette
combattemmo
combatteste
combatterono/combattettero

PASSATO PROSSIMO
ho combattuto
hai combattuto
ha combattuto
abbiamo combattuto
avete combattuto
hanno combattuto

PAST PERFECT
avevo combattuto
avevi combattuto
aveva combattuto
avevamo combattuto
avevate combattuto
avevano combattuto

PAST ANTERIOR
ebbi combattuto etc
see page 25

FUTURE PERFECT
avrò combattuto etc
see page 25

CONDITIONAL

PRESENT
combatterei
combatteresti
combatterebbe
combatteremmo
combattereste
combatterebbero

PAST
avrei combattuto
avresti combattuto
avrebbe combattuto
avremmo combattuto
avreste combattuto
avrebbero combattuto

SUBJUNCTIVE

PRESENT
combatta
combatta
combatta
combattiamo
combattiate
combattano

IMPERFECT
combattessi
combattessi
combattesse
combattessimo
combatteste
combattessero

PAST PERFECT
avessi combattuto
avessi combattuto
avesse combattuto
avessimo combattuto
aveste combattuto
avessero combattuto

PASSATO PROSSIMO
abbia combattuto etc
see page 25

PRESENT INFINITIVE
combattere

PAST INFINITIVE
aver(e) combattuto

GERUND
combattendo

PAST PARTICIPLE
combattuto

IMPERATIVE

combatti
combatta
combattiamo
combattete
combattano

COMINCIARE to start, to begin

INDICATIVE

PRESENT
comincio
cominci
comincia
cominciamo
cominciate
cominciano

FUTURE
comincerò
comincerai
comincerà
cominceremo
comincerete
cominceranno

IMPERFECT
cominciavo
cominciavi
cominciava
cominciavamo
cominciavate
cominciavano

PASSATO REMOTO
cominciai
cominciasti
cominciò
cominciammo
cominciaste
cominciarono

PASSATO PROSSIMO
ho cominciato
hai cominciato
ha cominciato
abbiamo cominciato
avete cominciato
hanno cominciato

PAST PERFECT
avevo cominciato
avevi cominciato
aveva cominciato
avevamo cominciato
avevate cominciato
avevano cominciato

PAST ANTERIOR
ebbi cominciato etc
see page 25

FUTURE PERFECT
avrò cominciato etc
see page 25

CONDITIONAL

PRESENT
comincerei
cominceresti
comincerebbe
cominceremmo
comincereste
comincerebbero

PAST
avrei cominciato
avresti cominciato
avrebbe cominciato
avremmo cominciato
avreste cominciato
avrebbero cominciato

SUBJUNCTIVE

PRESENT
cominci
cominci
cominci
cominciamo
cominciate
comincino

IMPERFECT
cominciassi
cominciassi
cominciasse
cominciassimo
cominciaste
cominciassero

PAST PERFECT
avessi cominciato
avessi cominciato
avesse cominciato
avessimo cominciato
aveste cominciato
avessero cominciato

PASSATO PROSSIMO
abbia cominciato etc
see page 25

PRESENT INFINITIVE
cominciare

PAST INFINITIVE
aver(e) cominciato

GERUND
cominciando

PAST PARTICIPLE
cominciato

IMPERATIVE

comincia
cominci
cominciamo
cominciate
comincino

NOTES

1 MEANING

to begin, to start, to commence

2 CONSTRUCTIONS WITH PREPOSITIONS

cominciare a + *infinitive*	to start *(doing something)*
cominciare con + *noun or verbal noun*	to begin by/with, to start off by/with
cominciare da	to start from

3 GRAMMATICAL INFORMATION

transitive: with **avere** as auxiliary in compound tenses:

ho cominciato la lezione	I have started the lesson

intransitive: with **essere** as auxiliary in compound tenses:

la lezione è cominciata	the lesson has begun

4 PHRASES AND IDIOMS

a cominciare da domani	starting from tomorrow, from tomorrow onwards
ora dobbiamo cominciare da capo	now we must start all over again
per cominciare	to begin with, to start with, first of all

COMPIERE to carry out

INDICATIVE

PRESENT
compio
compi
compie
compiamo
compite
compiono

FUTURE
compirò
compirai
compirà
compiremo
compirete
compiranno

IMPERFECT
compivo
compivi
compiva
compivamo
compivate
compivano

PASSATO REMOTO
compii/compiei
compisti
compì
compimmo
compiste
compirono

PASSATO PROSSIMO
ho compiuto
hai compiuto
ha compiuto
abbiamo compiuto
avete compiuto
hanno compiuto

PAST PERFECT
avevo compiuto
avevi compiuto
aveva compiuto
avevamo compiuto
avevate compiuto
avevano compiuto

PAST ANTERIOR
ebbi compiuto etc
see page 25

FUTURE PERFECT
avrò compiuto etc
see page 25

CONDITIONAL

PRESENT
compirei
compiresti
compirebbe
compiremmo
compireste
compirebbero

PAST
avrei compiuto
avresti compiuto
avrebbe compiuto
avremmo compiuto
avreste compiuto
avrebbero compiuto

SUBJUNCTIVE

PRESENT
compia
compia
compia
compiamo
compiate
compiano

IMPERFECT
compissi
compissi
compisse
compissimo
compiste
compissero

PAST PERFECT
avessi compiuto
avessi compiuto
avesse compiuto
avessimo compiuto
aveste compiuto
avessero compiuto

PASSATO PROSSIMO
abbia compiuto etc
see page 25

PRESENT INFINITIVE
compiere

PAST INFINITIVE
aver(e) compiuto

GERUND
compiendo

PAST PARTICIPLE
compiuto

IMPERATIVE

compi
compia
compiamo
compite
compiano

COMPRARE to buy

INDICATIVE

PRESENT
compro
compri
compra
compriamo
comprate
comprano

FUTURE
comprerò
comprerai
comprerà
compreremo
comprerete
compreranno

IMPERFECT
compravo
compravi
comprava
compravamo
compravate
compravano

PASSATO REMOTO
comprai
comprasti
comprò
comprammo
compraste
comprarono

PASSATO PROSSIMO
ho comprato
hai comprato
ha comprato
abbiamo comprato
avete comprato
hanno comprato

PAST PERFECT
avevo comprato
avevi comprato
aveva comprato
avevamo comprato
avevate comprato
avevano comprato

PAST ANTERIOR
ebbi comprato etc
see page 25

FUTURE PERFECT
avrò comprato etc
see page 25

CONDITIONAL

PRESENT
comprerei
compreresti
comprerebbe
compreremmo
comprereste
comprerebbero

PAST
avrei comprato
avresti comprato
avrebbe comprato
avremmo comprato
avreste comprato
avrebbero comprato

SUBJUNCTIVE

PRESENT
compri
compri
compri
compriamo
compriate
comprino

IMPERFECT
comprassi
comprassi
comprasse
comprassimo
compraste
comprassero

PAST PERFECT
avessi comprato
avessi comprato
avesse comprato
avessimo comprato
aveste comprato
avessero comprato

PASSATO PROSIMMO
abbia comprato etc
see page 25

PRESENT INFINITIVE
comprare

PAST INFINITIVE
aver(e) comprato

GERUND
comprando

PAST PARTICIPLE
comprato

IMPERATIVE

compra
compri
compriamo
comprate
comprino

CONCEDERE to allow

INDICATIVE

PRESENT
concedo
concedi
concede
concediamo
concedete
concedono

FUTURE
concederò
concederai
concederà
concederemo
concederete
concederanno

IMPERFECT
concedevo
concedevi
concedeva
concedevamo
concedevate
concedevano

PASSATO REMOTO
concessi/concedei[1]
concedesti
concesse/concedé[2]
concedemmo
concedeste
concessero[3]

PASSATO PROSSIMO
ho concesso
hai concesso
ha concesso
abbiamo concesso
avete concesso
hanno concesso

PAST PERFECT
avevo concesso
avevi concesso
aveva concesso
avevamo concesso
avevate concesso
avevano concesso

PAST ANTERIOR
ebbi concesso etc
see page 25

FUTURE PERFECT
avrò concesso etc
see page 25

CONDITIONAL

PRESENT
concederei
concederesti
concederebbe
concederemmo
concedereste
concederebbero

PAST
avrei concesso
avresti concesso
avrebbe concesso
avremmo concesso
avreste concesso
avrebbero concesso

SUBJUNCTIVE

PRESENT
conceda
conceda
conceda
concediamo
concediate
concedano

IMPERFECT
concedessi
concedessi
concedesse
concedessimo
concedeste
concedessero

PAST PERFECT
avessi concesso
avessi concesso
avesse concesso
avessimo concesso
aveste concesso
avessero concesso

PASSATO PROSSIMO
abbia concesso etc
see page 25

PRESENT INFINITIVE
concedere

PAST INFINITIVE
avere(e) concesso

GERUND
concedendo

PAST PARTICIPLE
concesso

IMPERATIVE
concedi
conceda
concediamo
concedete
concedano

Note: [1] also **concedetti**
[2] also **concedette**
[3] also **concederono** or **concedettero**

INDICATIVE

PRESENT
conduco
conduci
conduce
conduciamo
conducete
conducono

FUTURE
condurrò
condurrai
condurrà
condurremo
condurrete
condurranno

IMPERFECT
conducevo
conducevi
conduceva
conducevamo
conducevate
conducevano

PASSATO REMOTO
condussi
conducesti
condusse
conducemmo
conduceste
condussero

PASSATO PROSSIMO
ho condotto
hai condotto
ha condotto
abbiamo condotto
avete condotto
hanno condotto

PAST PERFECT
avevo condotto
avevi condotto
aveva condotto
avevamo condotto
avevate condotto
avevano condotto

PAST ANTERIOR
ebbi condotto etc
see page 25

FUTURE PERFECT
avrò condotto etc
see page 25

CONDITIONAL

PRESENT
condurrei
condurresti
condurrebbe
condurremmo
condurreste
condurrebbero

PAST
avrei condotto
avresti condotto
avrebbe condotto
avremmo condotto
avreste condotto
avrebbero condotto

SUBJUNCTIVE

PRESENT
conduca
conduca
conduca
conduciamo
conduciate
conducano

IMPERFECT
conducessi
conducessi
conducesse
conducessimo
conduceste
conducessero

PAST PERFECT
avessi condotto
avessi condotto
avesse condotto
avessimo condotto
aveste condotto
avessero condotto

PASSATO PROSSIMO
abbia condotto etc
see page 25

PRESENT INFINITIVE
condurre

PAST INFINITIVE
aver(e) condotto

GERUND
conducendo

PAST PARTICIPLE
condotto

IMPERATIVE
conduci
conduca
conduciamo
conducete
conducano

CONNETTERE to connect, to join, to link

INDICATIVE

PRESENT
connetto
connetti
connette
connettiamo
connettete
connettono

FUTURE
connetterò
connetterai
connetterà
connetteremo
connetterete
connetteranno

IMPERFECT
connettevo
connettevi
connetteva
connettevamo
connettevate
connettevano

PASSATO REMOTO
connettei/connessi
connettesti
connetté/connesse
connettemmo
connetteste
connetterono/connessero

PASSATO PROSSIMO
ho connesso
hai connesso
ha connesso
abbiamo connesso
avete connesso
hanno connesso

PAST PERFECT
avevo connesso
avevi connesso
aveva connesso
avevamo connesso
avevate connesso
avevano connesso

PAST ANTERIOR
ebbi connesso etc
see page 25

FUTURE PERFECT
avrò connesso etc
see page 25

CONDITIONAL

PRESENT
connetterei
connetteresti
connetterebbe
connetteremmo
connettereste
connetterebbero

PAST
avrei connesso
avresti connesso
avrebbe connesso
avremmo connesso
avreste connesso
avrebbero connesso

SUBJUNCTIVE

PRESENT
connetta
connetta
connetta
connettiamo
connettiate
connettano

IMPERFECT
connettessi
connettessi
connettesse
connettessimo
connetteste
connettessero

PAST PERFECT
avessi connesso
avessi connesso
avesse connesso
avessimo connesso
aveste connesso
avessero connesso

PASSATO PROSSIMO
abbia connesso etc
see page 25

PRESENT INFINITIVE
connettere

PAST INFINITIVE
aver(e) connesso

GERUND
connettendo

PAST PARTICIPLE
connesso

IMPERATIVE
connetti
connetta
connettiamo
connettete
connettano

INDICATIVE

PRESENT
conosco
conosci
conosce
conosciamo
conoscete
conoscono

FUTURE
conoscerò
conoscerai
conoscerà
conosceremo
conoscerete
conosceranno

IMPERFECT
conoscevo
conoscevi
conosceva
conoscevamo
conoscevate
conoscevano

PASSATO REMOTO
conobbi
conoscesti
conobbe
conoscemmo
conosceste
conobbero

PASSATO PROSSIMO
ho conosciuto
hai conosciuto
ha conosciuto
abbiamo conosciuto
avete conosciuto
hanno conosciuto

PAST PERFECT
avevo conosciuto
avevi conosciuto
aveva conosciuto
avevamo conosciuto
avevate conosciuto
avevano conosciuto

PAST ANTERIOR
ebbi conosciuto etc
see page 25

FUTURE PERFECT
avrò conosciuto etc
see page 25

CONDITIONAL

PRESENT
conoscerei
conosceresti
conoscerebbe
conosceremmo
conoscereste
conoscerebbero

PAST
avrei conosciuto
avresti conosciuto
avrebbe conosciuto
avremmo conosciuto
avreste conosciuto
avrebbero conosciuto

SUBJUNCTIVE

PRESENT
conosca
conosca
conosca
conosciamo
conosciate
conoscano

IMPERFECT
conoscessi
conoscessi
conoscesse
conoscessimo
conosceste
conoscessero

PAST PERFECT
avessi conosciuto
avessi conosciuto
avesse conosciuto
avessimo conosciuto
aveste conosciuto
avessero conosciuto

PASSATO PROSSIMO
abbia conosciuto etc
see page 25

PRESENT INFINITIVE
conoscere

PAST INFINITIVE
aver(e) conosciuto

GERUND
conoscendo

PAST PARTICIPLE
conosciuto

IMPERATIVE
conosci
conosca
conosciamo
conoscete
conoscano

CONSIGLIARE to recommend, to advise

INDICATIVE

PRESENT
consiglio
consigli
consiglia
consigliamo
consigliate
consigliano

FUTURE
consiglierò
consiglierai
consiglierà
consiglieremo
consiglierete
consiglieranno

IMPERFECT
consigliavo
consigliavi
consigliava
consigliavamo
consigliavate
consigliavano

PASSATO REMOTO
consigliai
consigliasti
consigliò
consigliammo
consigliaste
consigliarono

PASSATO PROSSIMO
ho consigliato
hai consigliato
ha consigliato
abbiamo consigliato
avete consigliato
hanno consigliato

PAST PERFECT
avevo consigliato
avevi consigliato
aveva consigliato
avevamo consigliato
avevate consigliato
avevano consigliato

PAST ANTERIOR
ebbi consigliato etc
see page 25

FUTURE PERFECT
avrò consigliato etc
see page 25

CONDITIONAL

PRESENT
consiglierei
consiglieresti
consiglierebbe
consiglieremmo
consigliereste
consiglierebbero

PAST
avrei consigliato
avresti consigliato
avrebbe consigliato
avremmo consigliato
avreste consigliato
avrebbero consigliato

SUBJUNCTIVE

PRESENT
consigli
consigli
consigli
consigliamo
consigliate
consiglino

IMPERFECT
consigliassi
consigliassi
consigliasse
consigliassimo
consigliaste
consigliassero

PAST PERFECT
avessi consigliato
avessi consigliato
avesse consigliato
avessimo consigliato
aveste consigliato
avessero consigliato

PASSATO PROSSIMO
abbia consigliato etc
see page 25

PRESENT INFINITIVE
consigliare

PAST INFINITIVE
aver(e) consigliato

GERUND
consigliando

PAST PARTICIPLE
consigliato

IMPERATIVE
consiglia
consigli
consigliamo
consigliate
consiglino

INDICATIVE

PRESENT
conto
conti
conta
contiamo
contate
contano

FUTURE
conterò
conterai
conterà
conteremo
conterete
conteranno

IMPERFECT
contavo
contavi
contava
contavamo
contavate
contavano

PASSATO REMOTO
contai
contasti
contò
contammo
contaste
contarono

PASSATO PROSSIMO
ho contato
hai contato
ha contato
abbiamo contato
avete contato
hanno contato

PAST PERFECT
avevo contato
avevi contato
aveva contato
avevamo contato
avevate contato
avevano contato

PAST ANTERIOR
ebbi contato etc
see page 25

FUTURE PERFECT
avrò contato etc
see page 25

CONDITIONAL

PRESENT
conterei
conteresti
conterebbe
conteremmo
contereste
conterebbero

PAST
avrei contato
avresti contato
avrebbe contato
avremmo contato
avreste contato
avrebbero contato

SUBJUNCTIVE

PRESENT
conti
conti
conti
contiamo
contiate
contino

IMPERFECT
contassi
contassi
contasse
contassimo
contaste
contassero

PAST PERFECT
avessi contato
avessi contato
avesse contato
avessimo contato
aveste contato
avessero contato

PASSATO PROSSIMO
abbia contato etc
see page 25

PRESENT INFINITIVE
contare

PAST INFINITIVE
aver(e) contato

GERUND
contando

PAST PARTICIPLE
contato

IMPERATIVE
conta
conti
contiamo
contate
contino

CONTINUARE to continue

INDICATIVE

PRESENT
continuo
continui
continua
continuiamo
continuate
continuano

FUTURE
continuerò
continuerai
continuerà
continueremo
continuerete
continueranno

IMPERFECT
continuavo
continuavi
continuava
continuavamo
continuavate
continuavano

PASSATO REMOTO
continuai
continuasti
continuò
continuammo
continuaste
continuarono

PASSATO PROSSIMO
ho continuato
hai continuato
ha continuato
abbiamo continuato
avete continuato
hanno continuato

PAST PERFECT
avevo continuato
avevi continuato
aveva continuato
avevamo continuato
avevate continuato
avevano continuato

PAST ANTERIOR
ebbi continuato etc
see page 25

FUTURE PERFECT
avrò continuato etc
see page 25

CONDITIONAL

PRESENT
continuerei
continueresti
continuerebbe
continueremmo
continuereste
continuerebbero

PAST
avrei continuato
avresti continuato
avrebbe continuato
avremmo continuato
avreste continuato
avrebbero continuato

SUBJUNCTIVE

PRESENT
continui
continui
continui
continuiamo
continuiate
continuino

IMPERFECT
continuassi
continuassi
continuasse
continuassimo
continuaste
continuassero

PAST PERFECT
avessi continuato
avessi continuato
avesse continuato
avessimo continuato
aveste continuato
avessero continuato

PASSATO PROSSIMO
abbia continuato etc
see page 25

PRESENT INFINITIVE
continuare

PAST INFINITIVE
aver(e) continuato

GERUND
continuando

PAST PARTICIPLE
continuato

IMPERATIVE

continua
continui
continuiamo
continuate
continuino

INDICATIVE

PRESENT
controllo
controlli
controlla
controlliamo
controllate
controllano

FUTURE
controllerò
controllerai
controllerà
controlleremo
controllerete
controlleranno

IMPERFECT
controllavo
controllavi
controllava
controllavamo
controllavate
controllavano

PASSATO REMOTO
controllai
controllasti
controllò
controllammo
controllaste
controllarono

PASSATO PROSSIMO
ho controllato
hai controllato
ha controllato
abbiamo controllato
avete controllato
hanno controllato

PAST PERFECT
avevo controllato
avevi controllato
aveva controllato
avevamo controllato
avevate controllato
avevano controllato

PAST ANTERIOR
ebbi controllato etc
see page 25

FUTURE PERFECT
avrò controllato etc
see page 25

CONDITIONAL

PRESENT
controllerei
controlleresti
controllerebbe
controlleremmo
controllereste
controllerebbero

PAST
avrei controllato
avresti controllato
avrebbe controllato
avremmo controllato
avreste controllato
avrebbero controllato

SUBJUNCTIVE

PRESENT
controlli
controlli
controlli
controlliamo
controlliate
controllino

IMPERFECT
controllassi
controllassi
controllasse
controllassimo
controllaste
controllassero

PAST PERFECT
avessi controllato
avessi controllato
avesse controllato
avessimo controllato
aveste controllato
avessero controllato

PASSATO PROSSIMO
abbia controllato etc
see page 25

PRESENT INFINITIVE
controllare

PAST INFINITIVE
aver(e) controllato

GERUND
controllando

PAST PARTICIPLE
controllato

IMPERATIVE
controlla
controlli
controlliamo
controllate
controllino

COPRIRE to cover

INDICATIVE

PRESENT
copro
copri
copre
copriamo
coprite
coprono

FUTURE
coprirò
coprirai
coprirà
copriremo
coprirete
copriranno

IMPERFECT
coprivo
coprivi
copriva
coprivamo
coprivate
coprivano

PASSATO REMOTO
coprii/copersi
copristi
coprì/coperse
coprimmo
copriste
coprirono/copersero

PASSATO PROSSIMO
ho coperto
hai coperto
ha coperto
abbiamo coperto
avete coperto
hanno coperto

PAST PERFECT
avevo coperto
avevi coperto
aveva coperto
avevamo coperto
avevate coperto
avevano coperto

PAST ANTERIOR
ebbi coperto etc
see page 25

FUTURE PERFECT
avrò coperto etc
see page 25

CONDITIONAL

PRESENT
coprirei
copriresti
coprirebbe
copriremmo
coprireste
coprirebbero

PAST
avrei coperto
avresti coperto
avrebbe coperto
avremmo coperto
avreste coperto
avrebbero coperto

SUBJUNCTIVE

PRESENT
copra
copra
copra
copriamo
copriate
coprano

IMPERFECT
coprissi
coprissi
coprisse
coprissimo
copriste
coprissero

PAST PERFECT
avessi coperto
avessi coperto
avesse coperto
avessimo coperto
aveste coperto
avessero coperto

PASSATO PROSSIMO
abbia coperto etc
see page 25

PRESENT INFINITIVE
coprire

PAST INFINITIVE
aver(e) coperto

GERUND
coprendo

PAST PARTICIPLE
coperto

IMPERATIVE
copri
copra
copriamo
coprite
coprano

CORREGGERE to correct

INDICATIVE

PRESENT
correggo
correggi
corregge
correggiamo
correggete
correggono

FUTURE
correggerò
correggerai
correggerà
correggeremo
correggerete
correggeranno

IMPERFECT
correggevo
correggevi
correggeva
correggevamo
correggevate
correggevano

PASSATO REMOTO
corressi
correggesti
corresse
correggemmo
correggeste
corressero

PASSATO PROSSIMO
ho corretto
hai corretto
ha corretto
abbiamo corretto
avete corretto
hanno corretto

PAST PERFECT
avevo corretto
avevi corretto
aveva corretto
avevamo corretto
avevate corretto
avevano corretto

PAST ANTERIOR
ebbi corretto etc
see page 25

FUTURE PERFECT
avrò corretto etc
see page 25

CONDITIONAL

PRESENT
correggerei
correggeresti
correggerebbe
correggeremmo
correggereste
correggerebbero

PAST
avrei corretto
avresti corretto
avrebbe corretto
avremmo corretto
avreste corretto
avrebbero corretto

SUBJUNCTIVE

PRESENT
corregga
corregga
corregga
correggiamo
correggiate
correggano

IMPERFECT
correggessi
correggessi
correggesse
correggessimo
correggeste
correggessero

PAST PERFECT
avessi corretto
avessi corretto
avesse corretto
avessimo corretto
aveste corretto
avessero corretto

PASSATO PROSSIMO
abbia corretto etc
see page 25

PRESENT INFINITIVE
correggere

PAST INFINITIVE
aver(e) corretto

GERUND
correggendo

PAST PARTICIPLE
corretto

IMPERATIVE
correggi
corregga
correggiamo
correggete
correggano

CORRERE to run

INDICATIVE

PRESENT
corro
corri
corre
corriamo
correte
corrono

FUTURE
correrò
correrai
correrà
correremo
correrete
correranno

IMPERFECT
correvo
correvi
correva
correvamo
correvate
correvano

PASSATO REMOTO
corsi
corresti
corse
corremmo
correste
corsero

PASSATO PROSSIMO
sono corso/a
sei corso/a
è corso/a
siamo corsi/e
siete corsi/e
sono corsi/e

PAST PERFECT
ero corso/a
eri corso/a
era corso/a
eravamo corsi/e
eravate corsi/e
erano corsi/e

PAST ANTERIOR
fui corso/a etc
see page 93

FUTURE PERFECT
sarò corso/a etc
see page 93

CONDITIONAL

PRESENT
correrei
correresti
correrebbe
correremmo
correreste
correrebbero

PAST
sarei corso/a
saresti corso/a
sarebbe corso/a
saremmo corsi/e
sareste corsi/e
sarebbero corsi/e

SUBJUNCTIVE

PRESENT
corra
corra
corra
corriamo
corriate
corrano

IMPERFECT
corressi
corressi
corresse
corressimo
correste
corressero

PAST PERFECT
fossi corso/a
fossi corso/a
fosse corso/a
fossimo corsi/e
foste corsi/e
fossero corsi/e

PASSATO PROSSIMO
sia corso/a etc
see page 93

PRESENT INFINITIVE
correre

PAST INFINITIVE
esser(e) corso/a/i/e

GERUND
correndo

PAST PARTICIPLE
corso/a/i/e

IMPERATIVE
corri
corra
corriamo
correte
corrano

NOTES

1 MEANING

to run; to go fast, to travel fast *(of a vehicle)*; to hurry; to pass by, to go by *(of time)*; to circulate *(as of news or rumours)*; to take part in a race

2 CONSTRUCTIONS WITH PREPOSITIONS

correre a + *infinitive*	to run and *(perform another action)*
correre dietro a qualcuno	to run after *(someone)*
correre verso	to run towards

3 GRAMMATICAL INFORMATION

In compound tenses the standard auxiliary verb for **correre** is **essere**. In some specific expressions, the auxiliary verb is **avere**:

sono corso/a alla stazione	I ran to the station
ho corso un rischio	I ran a risk

4 PHRASES AND IDIOMS

la macchina correva a 100 Kph	the car was traveling at 100 kph
come corre il tempo!	how time flies!
sono corso/a incontro a mio fratello	I ran to meet my brother
corre voce	it is rumoured
ho deciso di correre il rischio	I've decided to take the risk
correre a rotta di collo	to run at breakneck speed

COSTARE to cost, to be expensive

INDICATIVE

PRESENT
costo
costi
costa
costiamo
costate
costano

FUTURE
costerò
costerai
costerà
costeremo
costerete
costeranno

IMPERFECT
costavo
costavi
costava
costavamo
costavate
costavano

PASSATO REMOTO
costai
costasti
costò
costammo
costaste
costarono

PASSATO PROSSIMO
sono costato/a
sei costato/a
è costato/a
siamo costati/e
siete costati/e
sono costati/e

PAST PERFECT
ero costato/a
eri costato/a
era costato/a
eravamo costati/e
eravate costati/e
erano costati/e

PAST ANTERIOR
fui costato/a etc
see page 93

FUTURE PERFECT
sarò costato/a etc
see page 93

CONDITIONAL

PRESENT
costerei
costeresti
costerebbe
costeremmo
costereste
costerebbero

PAST
sarei costato/a
saresti costato/a
sarebbe costato/a
saremmo costati/e
sareste costati/e
sarebbero costati/e

IMPERATIVE
costa
costi
costiamo
costate
costino

SUBJUNCTIVE

PRESENT
costi
costi
costi
costiamo
costiate
costino

IMPERFECT
costassi
costassi
costasse
costassimo
costaste
costassero

PAST PERFECT
fossi costato/a
fossi costato/a
fosse costato/a
fossimo costati/e
foste costati/e
fossero costati/e

PASSATO PROSSIMO
sia costato/a etc
see page 93

PRESENT INFINITIVE
costare

PAST INFINITIVE
esser(e) costato/a/i/e

GERUND
costando

PAST PARTICIPLE
costato/a/i/e

INDICATIVE

PRESENT
costruisco
costruisci
costruisce
costruiamo
costruite
costruiscono

FUTURE
costruirò
costruirai
costruirà
costruiremo
costruirete
costruiranno

IMPERFECT
costruivo
costruivi
costruiva
costruivamo
costruivate
costruivano

PASSATO REMOTO
costruii/costrussi
costruisti
costruì/costrusse
costruimmo
costruiste
costruirono/costrussero

PASSATO PROSSIMO
ho costruito
hai costruito
ha costruito
abbiamo costruito
avete costruito
hanno costruito

PAST PERFECT
avevo costruito
avevi costruito
aveva costruito
avevamo costruito
avevate costruito
avevano costruito

PAST ANTERIOR
ebbi costruito etc
see page 25

FUTURE PERFECT
avrò costruito etc
see page 25

CONDITIONAL

PRESENT
costruirei
costruiresti
costruirebbe
costruiremmo
costruireste
costruirebbero

PAST
avrei costruito
avresti costruito
avrebbe costruito
avremmo costruito
avreste costruito
avrebbero costruito

SUBJUNCTIVE

PRESENT
costruisca
costruisca
costruisca
costruiamo
costruiate
costruiscano

IMPERFECT
costruissi
costruissi
costruisse
costruissimo
costruiste
costruissero

PAST PERFECT
avessi costruito
avessi costruito
avesse costruito
avessimo costruito
aveste costruito
avessero costruito

PASSATO PROSSIMO
abbia costruito etc
see page 25

PRESENT INFINITIVE
costruire

PAST INFINITIVE
aver(e) costruito

GERUND
costruendo

PAST PARTICIPLE
costruito

IMPERATIVE
costruisci
costruisca
costruiamo
costruite
costruiscano

CREDERE to believe

INDICATIVE

PRESENT
credo
credi
crede
crediamo
credete
credono

FUTURE
crederò
crederai
crederà
crederemo
crederete
crederanno

IMPERFECT
credevo
credevi
credeva
credevamo
credevate
credevano

PASSATO REMOTO
credei/credetti
credesti
credé/credette
credemmo
credeste
crederono/credettero

PASSATO PROSSIMO
ho creduto
hai creduto
ha creduto
abbiamo creduto
avete creduto
hanno creduto

PAST PERFECT
avevo creduto
avevi creduto
aveva creduto
avevamo creduto
avevate creduto
avevano creduto

PAST ANTERIOR
ebbi creduto etc
see page 25

FUTURE PERFECT
avrò creduto etc
see page 25

CONDITIONAL

PRESENT
crederei
crederesti
crederebbe
crederemmo
credereste
crederebbero

PAST
avrei creduto
avresti creduto
avrebbe creduto
avremmo creduto
avreste creduto
avrebbero creduto

SUBJUNCTIVE

PRESENT
creda
creda
creda
crediamo
crediate
credano

IMPERFECT
credessi
credessi
credesse
credessimo
credeste
credessero

PAST PERFECT
avessi creduto
avessi creduto
avesse creduto
avessimo creduto
aveste creduto
avessero creduto

PASSATO PROSSIMO
abbia creduto etc
see page 25

PRESENT INFINITIVE
credere

PAST INFINITIVE
aver(e) creduto

GERUND
credendo

PAST PARTICIPLE
creduto

IMPERATIVE
credi
creda
crediamo
credete
credano

NOTES

1 MEANING

to believe, to think, to have faith, to suppose

2 CONSTRUCTIONS WITH PREPOSITIONS

credere a + *noun/pronoun*	to believe *(something/someone)*
credere di + *infinitive*	to think about
credere in + *noun/pronoun*	to believe in *(something/someone, God, Christianity etc)*

3 PHRASES AND IDIOMS

credo di sì	I think so, I believe so
credo di no	I think not, I don't think so
credevo di farti un piacere	I thought I was doing you a favour
non ci credo	I don't believe it
mi ha fatto credere di essere innocente	he/she made me think he/she was innocent
fa' come credi	do as you think fit
non credo ai miei occhi	I can't believe my eyes
credo sia necessario	I think it is necessary
credo sia opportuno	to think it advisable/right

CRESCERE to grow

INDICATIVE

PRESENT
cresco
cresci
cresce
cresciamo
crescete
crescono

FUTURE
crescerò
crescerai
crescerà
cresceremo
crescerete
cresceranno

IMPERFECT
crescevo
crescevi
cresceva
crescevamo
crescevate
crescevano

PASSATO REMOTO
crebbi
crescesti
crebbe
crescemmo
cresceste
crebbero

PASSATO PROSSIMO
sono cresciuto/a
sei cresciuto/a
è cresciuto/a
siamo cresciuti/e
siete cresciuti/e
sono cresciuti/e

PAST PERFECT
ero cresciuto/a
eri cresciuto/a
era cresciuto/a
eravamo cresciuti/e
eravate cresciuti/e
erano cresciuti/e

PAST ANTERIOR
fui cresciuto/a etc
see page 93

FUTURE PERFECT
sarò cresciuto/a etc
see page 93

CONDITIONAL

PRESENT
crescerei
cresceresti
crescerebbe
cresceremmo
crescereste
crescerebbero

PAST
sarei cresciuto/a
saresti cresciuto/a
sarebbe cresciuto/a
saremmo cresciuti/e
sareste cresciuti/e
sarebbero cresciuti/e

SUBJUNCTIVE

PRESENT
cresca
cresca
cresca
cresciamo
cresciate
crescano

IMPERFECT
crescessi
crescessi
crescesse
crescessimo
cresceste
crescessero

PAST PERFECT
fossi cresciuto/a
fossi cresciuto/a
fosse cresciuto/a
fossimo cresciuti/e
foste cresciuti/e
fossero cresciuti/e

PASSATO PROSSIMO
sia cresciuto/a etc
see page 93

PRESENT INFINITIVE
crescere

PAST INFINITIVE
esser(e) cresciuto/a/i/e

GERUND
crescendo

PAST PARTICIPLE
cresciuto/a/i/e

IMPERATIVE
cresci
cresca
cresciamo
crescete
crescano

INDICATIVE

PRESENT
cucino
cucini
cucina
cuciniamo
cucinate
cucinano

PASSATO REMOTO
cucinai
cucinasti
cucinò
cucinammo
cucinaste
cucinarono

PAST ANTERIOR
ebbi cucinato etc
see page 25

FUTURE
cucinerò
cucinerai
cucinerà
cucineremo
cucinerete
cucineranno

PASSATO PROSSIMO
ho cucinato
hai cucinato
ha cucinato
abbiamo cucinato
avete cucinato
hanno cucinato

IMPERFECT
cucinavo
cucinavi
cucinava
cucinavamo
cucinavate
cucinavano

PAST PERFECT
avevo cucinato
avevi cucinato
aveva cucinato
avevamo cucinato
avevate cucinato
avevano cucinato

FUTURE PERFECT
avrò cucinato etc
see page 25

CONDITIONAL

PRESENT
cucinerei
cucineresti
cucinerebbe
cucineremmo
cucinereste
cucinerebbero

PAST
avrei cucinato
avresti cucinato
avrebbe cucinato
avremmo cucinato
avreste cucinato
avrebbero cucinato

IMPERATIVE
cucina
cucini
cuciniamo
cucinate
cucinino

SUBJUNCTIVE

PRESENT
cucini
cucini
cucini
cuciniamo
cuciniate
cucinino

IMPERFECT
cucinassi
cucinassi
cucinasse
cucinassimo
cucinaste
cucinassero

PAST PERFECT
avessi cucinato
avessi cucinato
avesse cucinato
avessimo cucinato
aveste cucinato
avessero cucinato

PASSATO PROSSIMO
abbia cucinato etc
see page 25

PRESENT INFINITIVE
cucinare

PAST INFINITIVE
aver(e) cucinato

GERUND
cucinando

PAST PARTICIPLE
cucinato

CUCIRE to sew

INDICATIVE

PRESENT
cucio
cuci
cuce
cuciamo
cucite
cuciono

FUTURE
cucirò
cucirai
cucirà
cuciremo
cucirete
cuciranno

IMPERFECT
cucivo
cucivi
cuciva
cucivamo
cucivate
cucivano

PASSATO REMOTO
cucii
cucisti
cucì
cucimmo
cuciste
cucirono

PASSATO PROSSIMO
ho cucito
hai cucito
ha cucito
abbiamo cucito
avete cucito
hanno cucito

PAST PERFECT
avevo cucito
avevi cucito
aveva cucito
avevamo cucito
avevate cucito
avevano cucito

PAST ANTERIOR
ebbi cucito etc
see page 25

FUTURE PERFECT
avrò cucito etc
see page 25

CONDITIONAL

PRESENT
cucirei
cuciresti
cucirebbe
cuciremmo
cucireste
cucirebbero

PAST
avrei cucito
avresti cucito
avrebbe cucito
avremmo cucito
avreste cucito
avrebbero cucito

SUBJUNCTIVE

PRESENT
cucia
cucia
cucia
cuciamo
cuciate
cuciano

IMPERFECT
cucissi
cucissi
cucisse
cucissimo
cuciste
cucissero

PAST PERFECT
avessi cucito
avessi cucito
avesse cucito
avessimo cucito
aveste cucito
avessero cucito

PASSATO PROSSIMO
abbia cucito etc
see page 25

PRESENT INFINITIVE
cucire

PAST INFINITIVE
aver(e) cucito

GERUND
cucendo

PAST PARTICIPLE
cucito

IMPERATIVE

cuci
cucia
cuciamo
cucite
cuciano

CUOCERE to cook, to vex

INDICATIVE

PRESENT
cuocio
cuoci
cuoce
cociamo
cocete
cuociono

FUTURE
cocerò
cocerai
cocerà
coceremo
cocerete
coceranno

IMPERFECT
cocevo
cocevi
coceva
cocevamo
cocevate
cocevano

PASSATO REMOTO
cossi
cocesti
cosse
cocemmo
coceste
cossero

PASSATO PROSSIMO
ho cotto
hai cotto
ha cotto
abbiamo cotto
avete cotto
hanno cotto

PAST PERFECT
avevo cotto
avevi cotto
aveva cotto
avevamo cotto
avevate cotto
avevano cotto

PAST ANTERIOR
ebbi cotto etc
see page 25

FUTURE PERFECT
avrò cotto etc
see page 25

CONDITIONAL

PRESENT
cocerei
coceresti
cocerebbe
coceremmo
cocereste
cocerebbero

PAST
avrei cotto
avresti cotto
avrebbe cotto
avremmo cotto
avreste cotto
avrebbero cotto

SUBJUNCTIVE

PRESENT
cuocia
cuocia
cuocia
cociamo
cociate
cuociano

IMPERFECT
cocessi
cocessi
cocesse
cocessimo
coceste
cocessero

PAST PERFECT
avessi cotto
avessi cotto
avesse cotto
avessimo cotto
aveste cotto
avessero cotto

PASSATO PROSSIMO
abbia cotto etc
see page 25

PRESENT INFINITIVE
cuocere

PAST INFINITIVE
aver(e) cotto/cociuto

GERUND
cocendo

PAST PARTICIPLE
cotto/cociuto

IMPERATIVE
cuoci
cuocia
cociamo
cocete
cuociano

Note: the past participle **cociuto** is used only when **cuocere** means "to vex"

DARE to give

INDICATIVE

PRESENT
do
dai
dà
diamo
date
danno

FUTURE
darò
darai
darà
daremo
darete
daranno

IMPERFECT
davo
davi
dava
davamo
davate
davano

PASSATO REMOTO
diedi/detti
desti
diede/dette
demmo
deste
diedero/dettero

PASSATO PROSSIMO
ho dato
hai dato
ha dato
abbiamo dato
avete dato
hanno dato

PAST PERFECT
avevo dato
avevi dato
aveva dato
avevamo dato
avevate dato
avevano dato

PAST ANTERIOR
ebbi dato etc
see page 25

FUTURE PERFECT
avrò dato etc
see page 25

CONDITIONAL

PRESENT
darei
daresti
darebbe
daremmo
dareste
darebbero

PAST
avrei dato
avresti dato
avrebbe dato
avremmo dato
avreste dato
avrebbero dato

SUBJUNCTIVE

PRESENT
dia
dia
dia
diamo
diate
diano

IMPERFECT
dessi
dessi
desse
dessimo
deste
dessero

PAST PERFECT
avessi dato
avessi dato
avesse dato
avessimo dato
aveste dato
avessero dato

PASSATO PROSSIMO
abbia dato etc
see page 25

PRESENT INFINITIVE
dare

PAST INFINITIVE
aver(e) dato

GERUND
dando

PAST PARTICIPLE
dato

IMPERATIVE

dà/dai/da'
dia
diamo
date
diano

NOTES

1 MEANING

to give, to hand over/out, to lend, to entrust; used in a wide variety of idiomatic applications

2 CONSTRUCTIONS WITH PREPOSITIONS

dare a + *noun/pronoun*	to give to *(someone or something)*
dare su + *noun*	to look out over/onto

3 PHRASES AND IDIOMS

dava da mangiare/bere ai bambini	he/she gave the children something to eat/drink
gli ho dato del lavoro da fare	I have given him some work to do
diamoci del tu!	let's address each other in the "tu" form!
si danno del Lei	they address each other in the "Lei" form
lo do per certo	I'm sure of it
l'hanno dato per morto	they presumed him dead
darò l'incarico a lei	I shall entrust her with the job
non ci diamo importanza	we don't attach any importance to it
date l'allarme!	raise the alarm!
diamo loro il benvenuto!	let's welcome them!
può darsi che venga Gigi	Gigi might come
quanti anni gli dai?	how old do you think he/she is?

DECIDERE to decide, to fix

INDICATIVE

PRESENT
decido
decidi
decide
decidiamo
decidete
decidono

FUTURE
deciderò
deciderai
deciderà
decideremo
deciderete
decideranno

IMPERFECT
decidevo
decidevi
decideva
decidevamo
decidevate
decidevano

PASSATO REMOTO
decisi
decidesti
decise
decidemmo
decideste
decisero

PASSATO PROSSIMO
ho deciso
hai deciso
ha deciso
abbiamo deciso
avete deciso
hanno deciso

PAST PERFECT
avevo deciso
avevi deciso
aveva deciso
avevamo deciso
avevate deciso
avevano deciso

PAST ANTERIOR
ebbi deciso etc
see page 25

FUTURE PERFECT
avrò deciso etc
see page 25

CONDITIONAL

PRESENT
deciderei
decideresti
deciderebbe
decideremmo
decidereste
deciderebbero

PAST
avrei deciso
avresti deciso
avrebbe deciso
avremmo deciso
avreste deciso
avrebbero deciso

SUBJUNCTIVE

PRESENT
decida
decida
decida
decidiamo
decidiate
decidano

IMPERFECT
decidessi
decidessi
decidesse
decidessimo
decideste
decidessero

PAST PERFECT
avessi deciso
avessi deciso
avesse deciso
avessimo deciso
aveste deciso
avessero deciso

PAST
abbia deciso etc
see page 25

PRESENT INFINITIVE
decidere

PAST INFINITIVE
aver(e) deciso

GERUND
decidendo

PAST PARTICIPLE
deciso

IMPERATIVE
decidi
decida
decidiamo
decidete
decidano

INDICATIVE

PRESENT
descrivo
descrivi
descrive
descriviamo
descrivete
descrivono

FUTURE
descriverò
descriverai
descriverà
descriveremo
descriverete
descriveranno

IMPERFECT
descrivevo
descrivevi
descriveva
descrivevamo
descrivevate
descrivevano

PASSATO REMOTO
descrissi
descrivesti
descrisse
descrivemmo
descriveste
descrissero

PASSATO PROSSIMO
ho descritto
hai descritto
ha descritto
abbiamo descritto
avete descritto
hanno descritto

PAST PERFECT
avevo descritto
avevi descritto
aveva descritto
avevamo descritto
avevate descritto
avevano descritto

PAST ANTERIOR
ebbi descritto etc
see page 25

FUTURE PERFECT
avrò descritto etc
see page 25

CONDITIONAL

PRESENT
descriverei
descriveresti
descriverebbe
descriveremmo
descrivereste
descriverebbero

PAST
avrei descritto
avresti descritto
avrebbe descritto
avremmo descritto
avreste descritto
avrebbero descritto

SUBJUNCTIVE

PRESENT
descriva
descriva
descriva
descriviamo
descriviate
descrivano

IMPERFECT
descrivessi
descrivessi
descrivesse
descrivessimo
descriveste
descrivessero

PAST PERFECT
avessi descritto
avessi descritto
avesse descritto
avessimo descritto
aveste descritto
avessero descritto

PASSATO PROSSIMO
abbia descritto etc
see page 25

PRESENT INFINITIVE
descrivere

PAST INFINITIVE
aver(e) descritto

GERUND
descrivendo

PAST PARTICIPLE
descritto

IMPERATIVE

descrivi
descriva
descriviamo
descrivete
descrivano

DESIDERARE to wish, to want

INDICATIVE

PRESENT
desidero
desideri
desidera
desideriamo
desiderate
desiderano

FUTURE
desidererò
desidererai
desidererà
desidereremo
desidererete
desidereranno

IMPERFECT
desideravo
desideravi
desiderava
desideravamo
desideravate
desideravano

PASSATO REMOTO
desiderai
desiderasti
desiderò
desiderammo
desideraste
desiderarono

PASSATO PROSSIMO
ho desiderato
hai desiderato
ha desiderato
abbiamo desiderato
avete desiderato
hanno desiderato

PAST PERFECT
avevo desiderato
avevi desiderato
aveva desiderato
avevamo desiderato
avevate desiderato
avevano desiderato

PAST ANTERIOR
ebbi desiderato etc
see page 25

FUTURE PERFECT
avrò desiderato etc
see page 25

CONDITIONAL

PRESENT
desidererei
desidereresti
desidererebbe
desidereremmo
desiderereste
desidererebbero

PAST
avrei desiderato
avresti desiderato
avrebbe desiderato
avremmo desiderato
avreste desiderato
avrebbero desiderato

SUBJUNCTIVE

PRESENT
desideri
desideri
desideri
desideriamo
desideriate
desiderino

IMPERFECT
desiderassi
desiderassi
desiderasse
desiderassimo
desideraste
desiderassero

PAST PERFECT
avessi desiderato
avessi desiderato
avesse desiderato
avessimo desiderato
aveste desiderato
avessero desiderato

PASSATO PROSSIMO
abbia desiderato etc
see page 25

PRESENT INFINITIVE
desiderare

PAST INFINITIVE
aver(e) desiderato

GERUND
desiderando

PAST PARTICIPLE
desiderato

IMPERATIVE
desidera
desideri
desideriamo
desiderate
desiderino

INDICATIVE

PRESENT
difendo
difendi
difende
difendiamo
difendete
difendono

FUTURE
difenderò
difenderai
difenderà
difenderemo
difenderete
difenderanno

IMPERFECT
difendevo
difendevi
difendeva
difendevamo
difendevate
difendevano

PASSATO REMOTO
difesi
difendesti
difese
difendemmo
difendeste
difesero

PASSATO PROSSIMO
ho difeso
hai difeso
ha difeso
abbiamo difeso
avete difeso
hanno difeso

PAST PERFECT
avevo difeso
avevi difeso
aveva difeso
avevamo difeso
avevate difeso
avevano difeso

PAST ANTERIOR
ebbi difeso etc
see page 25

FUTURE PERFECT
avrò difeso etc
see page 25

CONDITIONAL

PRESENT
difenderei
difenderesti
difenderebbe
difenderemmo
difendereste
difenderebbero

PAST
avrei difeso
avresti difeso
avrebbe difeso
avremmo difeso
avreste difeso
avrebbero difeso

SUBJUNCTIVE

PRESENT
difenda
difenda
difenda
difendiamo
difendiate
difendano

IMPERFECT
difendessi
difendessi
difendesse
difendessimo
difendeste
difendessero

PAST PERFECT
avessi difeso
avessi difeso
avesse difeso
avessimo difeso
aveste difeso
avessero difeso

PASSATO PROSSIMO
abbia difeso etc
see page 25

PRESENT INFINITIVE
difendere

PAST INFINITIVE
aver(e) difeso

GERUND
difendendo

PAST PARTICIPLE
difeso

IMPERATIVE
difendi
difenda
difendiamo
difendete
difendano

DIMENTICARE to forget

INDICATIVE

PRESENT
dimentico
dimentichi
dimentica
dimentichiamo
dimenticate
dimenticano

FUTURE
dimenticherò
dimenticherai
dimenticherà
dimenticheremo
dimenticherete
dimenticheranno

IMPERFECT
dimenticavo
dimenticavi
dimenticava
dimenticavamo
dimenticavate
dimenticavano

PASSATO REMOTO
dimenticai
dimenticasti
dimenticò
dimenticammo
dimenticaste
dimenticarono

PASSATO PROSSIMO
ho dimenticato
hai dimenticato
ha dimenticato
abbiamo dimenticato
avete dimenticato
hanno dimenticato

PAST PERFECT
avevo dimenticato
avevi dimenticato
aveva dimenticato
avevamo dimenticato
avevate dimenticato
avevano dimenticato

PAST ANTERIOR
ebbi dimenticato etc
see page 25

FUTURE PERFECT
avrò dimenticato etc
see page 25

CONDITIONAL

PRESENT
dimenticherei
dimenticheresti
dimenticherebbe
dimenticheremmo
dimentichereste
dimenticherebbero

PAST
avrei dimenticato
avresti dimenticato
avrebbe dimenticato
avremmo dimenticato
avreste dimenticato
avrebbero dimenticato

SUBJUNCTIVE

PRESENT
dimentichi
dimentichi
dimentichi
dimentichiamo
dimentichiate
dimentichino

IMPERFECT
dimenticassi
dimenticassi
dimenticasse
dimenticassimo
dimenticaste
dimenticassero

PAST PERFECT
avessi dimenticato
avessi dimenticato
avesse dimenticato
avessimo dimenticato
aveste dimenticato
avessero dimenticato

PASSATO PROSSIMO
abbia dimenticato etc
see page 25

PRESENT INFINITIVE
dimenticare

PAST INFINITIVE
aver(e) dimenticato

GERUND
dimenticando

PAST PARTICIPLE
dimenticato

IMPERATIVE
dimentica
dimentichi
dimentichiamo
dimenticate
dimentichino

DIMINUIRE to diminish, to decrease, to lessen

INDICATIVE

PRESENT
diminuisco
diminuisci
diminuisce
diminuiamo
diminuite
diminuiscono

FUTURE
diminuirò
diminuirai
diminuirà
diminuiremo
diminuirete
diminuiranno

IMPERFECT
diminuivo
diminuivi
diminuiva
diminuivamo
diminuivate
diminuivano

PASSATO REMOTO
diminuii
diminuisti
diminuì
diminuimmo
diminuiste
diminuirono

PASSATO PROSSIMO
ho diminuito
hai diminuito
ha diminuito
abbiamo diminuito
avete diminuito
hanno diminuito

PAST PERFECT
avevo diminuito
avevi diminuito
aveva diminuito
avevamo diminuito
avevate diminuito
avevano diminuito

PAST ANTERIOR
ebbi diminuito etc
see page 25

FUTURE PERFECT
avrò diminuito etc
see page 25

CONDITIONAL

PRESENT
diminuirei
diminuiresti
diminuirebbe
diminuiremmo
diminuireste
diminuirebbero

PAST
avrei diminuito
avresti diminuito
avrebbe diminuito
avremmo diminuito
avreste diminuito
avrebbero diminuito

SUBJUNCTIVE

PRESENT
diminuisca
diminuisca
diminuisca
diminuiamo
diminuiate
diminuiscano

IMPERFECT
diminuissi
diminuissi
diminuisse
diminuissimo
diminuiste
diminuissero

PAST PERFECT
avessi diminuito
avessi diminuito
avesse diminuito
avessimo diminuito
aveste diminuito
avessero diminuito

PASSATO PROSSIMO
abbia diminuito etc
see page 25

PRESENT INFINITIVE
diminuire

PAST INFINITIVE
aver(e) diminuito

GERUND
diminuendo

PAST PARTICIPLE
diminuito

IMPERATIVE

diminuisci
diminuisca
diminuiamo
diminuite
diminuiscano

Note: **diminuire** takes **essere** as its auxiliary in compound tenses when used intransitively

DIPENDERE to depend

INDICATIVE

PRESENT
dipendo
dipendi
dipende
dipendiamo
dipendete
dipendono

FUTURE
dipenderò
dipenderai
dipenderà
dipenderemo
dipenderete
dipenderanno

IMPERFECT
dipendevo
dipendevi
dipendeva
dipendevamo
dipendevate
dipendevano

PASSATO REMOTO
dipesi
dipendesti
dipese
dipendemmo
dipendeste
dipesero

PASSATO PROSSIMO
sono dipeso/a
sei dipeso/a
è dipeso/a
siamo dipesi/e
siete dipesi/e
sono dipesi/e

PAST PERFECT
ero dipeso/a
eri dipeso/a
era dipeso/a
eravamo dipesi/e
eravate dipesi/e
erano dipesi/e

PAST ANTERIOR
fui dipeso/a etc
see page 93

FUTURE PERFECT
sarò dipeso/a etc
see page 93

CONDITIONAL

PRESENT
dipenderei
dipenderesti
dipenderebbe
dipenderemmo
dipendereste
dipenderebbero

PAST
sarei dipeso/a
saresti dipeso/a
sarebbe dipeso/a
saremmo dipesi/e
sareste dipesi/e
sarebbero dipesi/e

SUBJUNCTIVE

PRESENT
dipenda
dipenda
dipenda
dipendiamo
dipendiate
dipendano

IMPERFECT
dipendessi
dipendessi
dipendesse
dipendessimo
dipendeste
dipendessero

PAST PERFECT
fossi dipeso/a
fossi dipeso/a
fosse dipeso/a
fossimo dipesi/e
foste dipesi/e
fossero dipesi/e

PASSATO PROSSIMO
sia dipeso/a etc
see page 93

PRESENT INFINITIVE
dipendere

PAST INFINITIVE
esser(e) dipeso/a/i/e

GERUND
dipendendo

PAST PARTICIPLE
dipeso/a/i/e

IMPERATIVE
dipendi
dipenda
dipendiamo
dipendete
dipendano

INDICATIVE

PRESENT
dipingo
dipingi
dipinge
dipingiamo
dipingete
dipingono

PASSATO REMOTO
dipinsi
dipingesti
dipinse
dipingemmo
dipingeste
dipinsero

PAST ANTERIOR
ebbi dipinto etc
see page 25

FUTURE
dipingerò
dipingerai
dipingerà
dipingeremo
dipingerete
dipingeranno

PASSATO PROSSIMO
ho dipinto
hai dipinto
ha dipinto
abbiamo dipinto
avete dipinto
hanno dipinto

IMPERFECT
dipingevo
dipingevi
dipingeva
dipingevamo
dipingevate
dipingevano

PAST PERFECT
avevo dipinto
avevi dipinto
aveva dipinto
avevamo dipinto
avevate dipinto
avevano dipinto

FUTURE PERFECT
avrò dipinto etc
see page 25

CONDITIONAL

PRESENT
dipingerei
dipingeresti
dipingerebbe
dipingeremmo
dipingereste
dipingerebbero

PAST
avrei dipinto
avresti dipinto
avrebbe dipinto
avremmo dipinto
avreste dipinto
avrebbero dipinto

IMPERATIVE
dipingi
dipinga
dipingiamo
dipingete
dipingano

SUBJUNCTIVE

PRESENT
dipinga
dipinga
dipinga
dipingiamo
dipingiate
dipingano

IMPERFECT
dipingessi
dipingessi
dipingesse
dipingessimo
dipingeste
dipingessero

PAST PERFECT
avessi dipinto
avessi dipinto
avesse dipinto
avessimo dipinto
aveste dipinto
avessero dipinto

PASSATO PROSSIMO
abbia dipinto etc
see page 25

PRESENT INFINITIVE
dipingere

PAST INFINITIVE
aver(e) dipinto

GERUND
dipingendo

PAST PARTICIPLE
dipinto

DIRE to say, to tell

INDICATIVE

PRESENT
dico
dici
dice
diciamo
dite
dicono

FUTURE
dirò
dirai
dirà
diremo
direte
diranno

IMPERFECT
dicevo
dicevi
diceva
dicevamo
dicevate
dicevano

PASSATO REMOTO
dissi
dicesti
disse
dicemmo
diceste
dissero

PASSATO PROSSIMO
ho detto
hai detto
ha detto
abbiamo detto
avete detto
hanno detto

PAST PERFECT
avevo detto
avevi detto
aveva detto
avevamo detto
avevate detto
avevano detto

PAST ANTERIOR
ebbi detto etc
see *page* 25

FUTURE PERFECT
avrò detto etc
see *page* 25

CONDITIONAL

PRESENT
direi
diresti
direbbe
diremmo
direste
direbbero

PAST
avrei detto
avresti detto
avrebbe detto
avremmo detto
avreste detto
avrebbero detto

SUBJUNCTIVE

PRESENT
dica
dica
dica
diciamo
diciate
dicano

IMPERFECT
dicessi
dicessi
dicesse
dicessimo
diceste
dicessero

PAST PERFECT
avessi detto
avessi detto
avesse detto
avessimo detto
aveste detto
avessero detto

PASSATO PROSSIMO
abbia detto etc
see *page* 25

PRESENT INFINITIVE
dire

PAST INFINITIVE
aver(e) detto

GERUND
dicendo

PAST PARTICIPLE
detto

IMPERATIVE

di'
dica
diciamo
dite
dicano

NOTES

1 MEANING

to say, to tell, to utter, to recite, to express, to mean, to state, to declare

2 CONSTRUCTIONS WITH PREPOSITIONS

dire a qualcuno di fare qualcosa	to tell someone to do something
dire di + *infinitive*	to state, to declare

3 PHRASES AND IDIOMS

dicono di sì	they say yes, they agree
dico di no	I say no, I refuse
tra il dire e il fare c'è di mezzo il mare	easier said than done
dicono bene di lui	they speak well of him
non c'è che dire	there's no denying it
gliel'ho detto in faccia	I said it to his/her face
detto fatto	no sooner said than done
non dirle grosse!	don't tell tall stories!
hanno detto male di lei	they spoke ill of her
per così dire	so to speak
Giorgio vuol dire la sua	Giorgio wants to have his say
vale a dire	that is to say
che ne dici di quest'idea?	what do you think of this idea?

DIRIGERE to direct, to address, to manage

INDICATIVE

PRESENT
dirigo
dirigi
dirige
dirigiamo
dirigete
dirigono

PASSATO REMOTO
diressi
dirigesti
diresse
dirigemmo
dirigeste
diressero

PAST ANTERIOR
ebbi diretto etc
see *page 25*

FUTURE
dirigerò
dirigerai
dirigerà
dirigeremo
dirigerete
dirigeranno

PASSATO PROSSIMO
ho diretto
hai diretto
ha diretto
abbiamo diretto
avete diretto
hanno diretto

IMPERFECT
dirigevo
dirigevi
dirigeva
dirigevamo
dirigevate
dirigevano

PAST PERFECT
avevo diretto
avevi diretto
aveva diretto
avevamo diretto
avevate diretto
avevano diretto

FUTURE PERFECT
avrò diretto etc
see *page 25*

CONDITIONAL

PRESENT
dirigerei
dirigeresti
dirigerebbe
dirigeremmo
dirigereste
dirigerebbero

PAST
avrei diretto
avresti diretto
avrebbe diretto
avremmo diretto
avreste diretto
avrebbero diretto

IMPERATIVE
dirigi
diriga
dirigiamo
dirigete
dirigano

SUBJUNCTIVE

PRESENT
diriga
diriga
diriga
dirigiamo
dirigiate
dirigano

IMPERFECT
dirigessi
dirigessi
dirigesse
dirigessimo
dirigeste
dirigessero

PAST PERFECT
avessi diretto
avessi diretto
avesse diretto
avessimo diretto
aveste diretto
avessero diretto

PASSATO PROSSIMO
abbia diretto etc
see *page 25*

PRESENT INFINITIVE
dirigere

PAST INFINITIVE
aver(e) diretto

GERUND
dirigendo

PAST PARTICIPLE
diretto

INDICATIVE

PRESENT
discuto
discuti
discute
discutiamo
discutete
discutono

FUTURE
discuterò
discuterai
discuterà
discuteremo
discuterete
discuteranno

IMPERFECT
discutevo
discutevi
discuteva
discutevamo
discutevate
discutevano

PASSATO REMOTO
discussi
discutesti
discusse
discutemmo
discuteste
discussero

PASSATO PROSSIMO
ho discusso
hai discusso
ha discusso
abbiamo discusso
avete discusso
hanno discusso

PAST PERFECT
avevo discusso
avevi discusso
aveva discusso
avevamo discusso
avevate discusso
avevano discusso

PAST ANTERIOR
ebbi discusso etc
see page 25

FUTURE PERFECT
avrò discusso etc
see page 25

CONDITIONAL

PRESENT
discuterei
discuteresti
discuterebbe
discuteremmo
discutereste
discuterebbero

PAST
avrei discusso
avresti discusso
avrebbe discusso
avremmo discusso
avreste discusso
avrebbero discusso

SUBJUNCTIVE

PRESENT
discuta
discuta
discuta
discutiamo
discutiate
discutano

IMPERFECT
discutessi
discutessi
discutesse
discutessimo
discuteste
discutessero

PAST PERFECT
avessi discusso
avessi discusso
avesse discusso
fossimo discusso
foste discusso
fossero discusso

PASSATO PROSSIMO
sia discusso etc
see page 25

PRESENT INFINITIVE
discutere

PAST INFINITIVE
aver(e) discusso

GERUND
discutendo

PAST PARTICIPLE
discusso

IMPERATIVE

discuti
discuta
discutiamo
discutete
discutano

DISTINGUERE to distinguish

INDICATIVE

PRESENT
distinguo
distingui
distingue
distinguiamo
distinguete
distinguono

FUTURE
distinguerò
distinguerai
distinguerà
distingueremo
distinguerete
distingueranno

IMPERFECT
distinguevo
distinguevi
distingueva
distinguevamo
distinguevate
distinguevano

PASSATO REMOTO
distinsi
distinguesti
distinse
distinguemmo
distingueste
distinsero

PASSATO PROSSIMO
ho distinto
hai distinto
ha distinto
abbiamo distinto
avete distinto
hanno distinto

PAST PERFECT
avevo distinto
avevi distinto
aveva distinto
avevamo distinto
avevate distinto
avevano distinto

PAST ANTERIOR
ebbi distinto etc
see page 25

FUTURE PERFECT
avrò distinto etc
see page 25

CONDITIONAL

PRESENT
distinguerei
distingueresti
distinguerebbe
distingueremmo
distinguereste
distinguerebbero

PAST
avrei distinto
avresti distinto
avrebbe distinto
avremmo distinto
avreste distinto
avrebbero distinto

SUBJUNCTIVE

PRESENT
distingua
distingua
distingua
distinguiamo
distinguiate
distinguano

IMPERFECT
distinguessi
distinguessi
distinguesse
distinguessimo
distingueste
distinguessero

PAST PERFECT
avessi distinto
avessi distinto
avesse distinto
avessimo distinto
aveste distinto
avessero distinto

PASSATO PROSSIMO
abbia distinto etc
see page 25

PRESENT INFINITIVE
distinguere

PAST INFINITIVE
aver(e) distinto

GERUND
distinguendo

PAST PARTICIPLE
distinto

IMPERATIVE

distingui
distingua
distinguiamo
distinguete
distinguano

INDICATIVE

PRESENT
distruggo
distruggi
distrugge
distruggiamo
distruggete
distruggono

FUTURE
distruggerò
distruggerai
distruggerà
distruggeremo
distruggerete
distruggeranno

IMPERFECT
distruggevo
distruggevi
distruggeva
distruggevamo
distruggevate
distruggevano

PASSATO REMOTO
distrussi
distruggesti
distrusse
distruggemmo
distruggeste
distrussero

PASSATO PROSSIMO
ho distrutto
hai distrutto
ha distrutto
abbiamo distrutto
avete distrutto
hanno distrutto

PAST PERFECT
avevo distrutto
avevi distrutto
aveva distrutto
avevamo distrutto
avevate distrutto
avevano distrutto

PAST ANTERIOR
ebbi distrutto etc
see page 25

FUTURE PERFECT
avrò distrutto etc
see page 25

CONDITIONAL

PRESENT
distruggerei
distruggeresti
distruggerebbe
distruggeremmo
distruggereste
distruggerebbero

PAST
avrei distrutto
avresti distrutto
avrebbe distrutto
avremmo distrutto
avreste distrutto
avrebbero distrutto

SUBJUNCTIVE

PRESENT
distrugga
distrugga
distrugga
distruggiamo
distruggiate
distruggano

IMPERFECT
distruggessi
distruggessi
distruggesse
distruggessimo
distruggeste
distruggessero

PAST PERFECT
avessi distrutto
avessi distrutto
avesse distrutto
avessimo distrutto
aveste distrutto
avessero distrutto

PASSATO PROSSIMO
abbia distrutto etc
see page 25

PRESENT INFINITIVE
distruggere

PAST INFINITIVE
aver(e) distrutto

GERUND
distruggendo

PAST PARTICIPLE
distrutto

IMPERATIVE

distruggi
distrugga
distruggiamo
distruggete
distruggano

DIVENTARE to become

INDICATIVE

PRESENT
divento
diventi
diventa
diventiamo
diventate
diventano

FUTURE
diventerò
diventerai
diventerà
diventeremo
diventerete
diventeranno

IMPERFECT
diventavo
diventavi
diventava
diventavamo
diventavate
diventavano

PASSATO REMOTO
diventai
diventasti
diventò
diventammo
diventaste
diventarono

PASSATO PROSSIMO
sono diventato/a
sei diventato/a
è diventato/a
siamo diventati/e
siete diventati/e
sono diventati/e

PAST PERFECT
ero diventato/a
eri diventato/a
era diventato/a
eravamo diventati/e
eravate diventati/e
erano diventati/e

PAST ANTERIOR
fui diventato/a etc
see page 93

FUTURE PERFECT
sarò diventato/a etc
see page 93

CONDITIONAL

PRESENT
diventerei
diventeresti
diventerebbe
diventeremmo
diventereste
diventerebbero

PAST
sarei diventato/a
saresti diventato/a
sarebbe diventato/a
saremmo diventati/e
sareste diventati/e
sarebbero diventati/e

SUBJUNCTIVE

PRESENT
diventi
diventi
diventi
diventiamo
diventiate
diventino

IMPERFECT
diventassi
diventassi
diventasse
diventassimo
diventaste
diventassero

PAST PERFECT
fossi diventato/a
fossi diventato/a
fosse diventato/a
fossimo diventati/e
foste diventati/e
fossero diventati/e

PASSATO PROSSIMO
sia diventato/a etc
see page 93

PRESENT INFINITIVE
diventare

PAST INFINITIVE
esser(e) diventato/a/i/e

GERUND
diventando

PAST PARTICIPLE
diventato/a/i/e

IMPERATIVE
diventa
diventi
diventiamo
diventate
diventino

INDICATIVE

PRESENT
mi diverto
ti diverti
si diverte
ci divertiamo
vi divertite
si divertono

PASSATO REMOTO
mi divertii
ti divertisti
si divertì
ci divertimmo
vi divertiste
si divertirono

PAST ANTERIOR
mi fui divertito/a etc
see page 93

FUTURE
mi divertirò
ti divertirai
si divertirà
ci divertiremo
vi divertirete
si divertiranno

PASSATO PROSSIMO
mi sono divertito/a
ti sei divertito/a
si è divertito/a
ci siamo divertiti/e
vi siete divertiti/e
si sono divertiti/e

IMPERFECT
mi divertivo
ti divertivi
si divertiva
ci divertivamo
vi divertivate
si divertivano

PAST PERFECT
mi ero divertito/a
ti eri divertito/a
si era divertito/a
ci eravamo divertiti/e
vi eravate divertiti/e
si erano divertiti/e

FUTURE PERFECT
mi sarò divertito/a etc
see page 93

CONDITIONAL

PRESENT
mi divertirei
ti divertiresti
si divertirebbe
ci divertiremmo
vi divertireste
si divertirebbero

PAST
mi sarei divertito/a
ti saresti divertito/a
si sarebbe divertito/a
ci saremmo divertiti/e
vi sareste divertiti/e
si sarebbero divertiti/e

IMPERATIVE

divertiti
si diverta
divertiamoci
divertitevi
si divertano

SUBJUNCTIVE

PRESENT
mi diverta
ti diverta
si diverta
ci divertiamo
vi divertiate
si divertano

IMPERFECT
mi divertissi
ti divertissi
si divertisse
ci divertissimo
vi divertiste
si divertissero

PAST PERFECT
mi fossi divertito/a
ti fossi divertito/a
si fosse divertito/a
ci fossimo divertiti/e
vi foste divertiti/e
si fossero divertiti/e

PASSATO PROSSIMO
mi sia divertito/a etc
see page 93

PRESENT INFINITIVE
divertirsi

PAST INFINITIVE
essersi divertito/a/i/e

GERUND
divertendomi etc

PAST PARTICIPLE
divertito/a/i/e

DIVIDERE to divide

INDICATIVE

PRESENT
divido
dividi
divide
dividiamo
dividete
dividono

FUTURE
dividerò
dividerai
dividerà
divideremo
dividerete
divideranno

IMPERFECT
dividevo
dividevi
divideva
dividevamo
dividevate
dividevano

PASSATO REMOTO
divisi
dividesti
divise
dividemmo
divideste
divisero

PASSATO PROSSIMO
ho diviso
hai diviso
ha diviso
abbiamo diviso
avete diviso
hanno diviso

PAST PERFECT
avevo diviso
avevi diviso
aveva diviso
avevamo diviso
avevate diviso
avevano diviso

PAST ANTERIOR
ebbi diviso etc
see page 25

FUTURE PERFECT
avrò diviso etc
see page 25

CONDITIONAL

PRESENT
dividerei
divideresti
dividerebbe
divideremmo
dividereste
dividerebbero

PAST
avrei diviso
avresti diviso
avrebbe diviso
avremmo diviso
avreste diviso
avrebbero diviso

SUBJUNCTIVE

PRESENT
divida
divida
divida
dividiamo
dividiate
dividano

IMPERFECT
dividessi
dividessi
dividesse
dividessimo
divideste
dividessero

PAST PERFECT
avessi diviso
avessi diviso
avesse diviso
avessimo diviso
aveste diviso
avessero diviso

PASSATO PROSSIMO
abbia diviso etc
see page 25

PRESENT INFINITIVE
dividere

PAST INFINITIVE
aver(e) diviso

GERUND
dividendo

PAST PARTICIPLE
diviso

IMPERATIVE
dividi
divida
dividiamo
dividete
dividano

INDICATIVE

PRESENT
dolgo
duoli
duole
doliamo/dogliamo
dolete
dolgono

FUTURE
dorrò
dorrai
dorrà
dorremo
dorrete
dorranno

IMPERFECT
dolevo
dolevi
doleva
dolevamo
dolevate
dolevano

PASSATO REMOTO
dolsi
dolesti
dolse
dolemmo
doleste
dolsero

PASSATO PROSSIMO
sono doluto/a
sei doluto/a
è doluto/a
siamo doluti/e
siete doluti/e
sono doluti/e

PAST PERFECT
ero doluto/a
eri doluto/a
era doluto/a
eravamo doluti/e
eravate doluti/e
erano doluti/e

PAST ANTERIOR
fui doluto/a etc
see page 93

FUTURE PERFECT
sarò doluto/a etc
see page 93

CONDITIONAL

PRESENT
dorrei
dorresti
dorrebbe
dorremmo
dorreste
dorrebbero

PAST
sarei doluto/a
saresti doluto/a
sarebbe doluto/a
saremmo doluti/e
sareste doluti/e
sarebbero doluti/e

SUBJUNCTIVE

PRESENT
dolga
dolga
dolga
doliamo/dogliamo
doliate/dogliate
dolgano

IMPERFECT
dolessi
dolessi
dolesse
dolessimo
doleste
dolessero

PAST PERFECT
fossi doluto/a
fossi doluto/a
fosse doluto/a
fossimo doluti/e
foste doluti/e
fossero doluti/e

PASSATO PROSSIMO
sia doluto/a etc
see page 93

PRESENT INFINITIVE
dolere

PAST INFINITIVE
esser(e) doluto/a/i/e

GERUND
dolendo

PAST PARTICIPLE
doluto/a/i/e

IMPERATIVE

duoli
dolga
doliamo/dogliamo
dolete
dolgano

Note: **dolere** can also take **avere** as auxiliary

DOMANDARE to ask

INDICATIVE

PRESENT
domando
domandi
domanda
domandiamo
domandate
domandano

PASSATO REMOTO
domandai
domandasti
domandò
domandammo
domandaste
domandarono

PAST ANTERIOR
ebbi domandato etc
see page 25

FUTURE
domanderò
domanderai
domanderà
domanderemo
domanderete
domanderanno

PASSATO PROSSIMO
ho domandato
hai domandato
ha domandato
abbiamo domandato
avete domandato
hanno domandato

IMPERFECT
domandavo
domandavi
domandava
domandavamo
domandavate
domandavano

PAST PERFECT
avevo domandato
avevi domandato
aveva domandato
avevamo domandato
avevate domandato
avevano domandato

FUTURE PERFECT
avrò domandato etc
see page 25

CONDITIONAL

PRESENT
domanderei
domanderesti
domanderebbe
domanderemmo
domandereste
domanderebbero

PAST
avrei domandato
avresti domandato
avrebbe domandato
avremmo domandato
avreste domandato
avrebbero domandato

IMPERATIVE

domanda
domandi
domandiamo
domandate
domandino

SUBJUNCTIVE

PRESENT
domandi
domandi
domandi
domandiamo
domandiate
domandino

IMPERFECT
domandassi
domandassi
domandasse
domandassimo
domandaste
domandassero

PAST PERFECT
avessi domandato
avessi domandato
avesse domandato
avessimo domandato
aveste domandato
avessero domandato

PASSATO PROSSIMO
abbia domandato etc
see page 25

PRESENT INFINITIVE
domandare

PAST INFINITIVE
aver(e) domandato

GERUND
domandando

PAST PARTICIPLE
domandato

INDICATIVE

PRESENT
dormo
dormi
dorme
dormiamo
dormite
dormono

PASSATO REMOTO
dormii
dormisti
dormì
dormimmo
dormiste
dormirono

PAST ANTERIOR
ebbi dormito etc
see page 25

FUTURE
dormirò
dormirai
dormirà
dormiremo
dormirete
dormiranno

PASSATO PROSSIMO
ho dormito
hai dormito
ha dormito
abbiamo dormito
avete dormito
hanno dormito

IMPERFECT
dormivo
dormivi
dormiva
dormivamo
dormivate
dormivano

PAST PERFECT
avevo dormito
avevi dormito
aveva dormito
avevamo dormito
avevate dormito
avevano dormito

FUTURE PERFECT
avrò dormito etc
see page 25

CONDITIONAL

PRESENT
dormirei
dormiresti
dormirebbe
dormiremmo
dormireste
dormirebbero

PAST
avrei dormito
avresti dormito
avrebbe dormito
avremmo dormito
avreste dormito
avrebbero dormito

IMPERATIVE

dormi
dorma
dormiamo
dormite
dormano

SUBJUNCTIVE

PRESENT
dorma
dorma
dorma
dormiamo
dormiate
dormano

IMPERFECT
dormissi
dormissi
dormisse
dormissimo
dormiste
dormissero

PAST PERFECT
avessi dormito
avessi dormito
avesse dormito
avessimo dormito
aveste dormito
avessero dormito

PASSATO PROSSIMO
abbia dormito etc
see page 25

PRESENT INFINITIVE
dormire

PAST INFINITIVE
aver(e) dormito

GERUND
dormendo

PAST PARTICIPLE
dormito

DOVERE to have to, to owe

INDICATIVE

PRESENT
devo/debbo
devi
deve
dobbiamo
dovete
devono/debbono

FUTURE
dovrò
dovrai
dovrà
dovremo
dovrete
dovranno

IMPERFECT
dovevo
dovevi
doveva
dovevamo
dovevate
dovevano

PASSATO REMOTO
dovei/dovetti
dovesti
dové/dovette
dovemmo
doveste
doverono/dovettero

PASSATO PROSSIMO
ho dovuto
hai dovuto
ha dovuto
abbiamo dovuto
avete dovuto
hanno dovuto

PAST PERFECT
avevo dovuto
avevi dovuto
aveva dovuto
avevamo dovuto
avevate dovuto
avevano dovuto

PAST ANTERIOR
ebbi dovuto etc
see *page* 25

FUTURE PERFECT
avrò dovuto etc
see *page* 25

CONDITIONAL

PRESENT
dovrei
dovresti
dovrebbe
dovremmo
dovreste
dovrebbero

PAST
avrei dovuto
avresti dovuto
avrebbe dovuto
avremmo dovuto
avreste dovuto
avrebbero dovuto

SUBJUNCTIVE

PRESENT
deva/debba
deva/debba
deva/debba
dobbiamo
dobbiate
devano/debbano

IMPERFECT
dovessi
dovessi
dovesse
dovessimo
doveste
dovessero

PAST PERFECT
avessi dovuto
avessi dovuto
avesse dovuto
avessimo dovuto
aveste dovuto
avessero dovuto

PASSATO PROSSIMO
abbia dovuto etc
see *page* 25

PRESENT INFINITIVE
dovere

PAST INFINITIVE
aver(e) dovuto

GERUND
dovendo

PAST PARTICIPLE
dovuto

IMPERATIVE

NOTES

1 MEANING

to have to, must, to be obliged to, to be bound to, to be due to; to owe

2 CONSTRUCTIONS WITH PREPOSITIONS

dovere as a modal auxiliary verb cannot be followed by a preposition; it is followed by an infinitive. However, when it means "to owe", **dovere** can be followed by the preposition **a**:

devo mille lire a Giovanni	I owe Giovanni a thousand lire

3 GRAMMATICAL INFORMATION

When used as a modal verb in compound tenses **dovere** adopts as its auxiliary verb the auxiliary required by the infinitive that follows it. When used by itself, **dovere** takes **avere** as its auxiliary in compound tenses:

sono dovuto/a tornare a casa	I had to return home
ho dovuto lavorare tutta la notte	I had to work all night
gli dovevamo un favore	we owed him a favour

4 PHRASES AND IDIOMS

devi lavorare di più	you must work harder
domani devo essere a Roma	tomorrow I've got to be in Rome
non si deve fumare in biblioteca	no smoking in the library
mi deve telefonare a mezzogiorno	he/she is due to call me at midday
mi devi una spiegazione	you owe me an explanation
vorrei poter fare le cose come si deve	I wish I could do things properly

DURARE to last, to endure

INDICATIVE

PRESENT
duro
duri
dura
duriamo
durate
durano

FUTURE
durerò
durerai
durerà
dureremo
durerete
dureranno

IMPERFECT
duravo
duravi
durava
duravamo
duravate
duravano

PASSATO REMOTO
durai
durasti
durò
durammo
duraste
durarono

PASSATO PROSSIMO
sono durato/a
sei durato/a
è durato/a
siamo durati/e
siete durati/e
sono durati/e

PAST PERFECT
ero durato/a
eri durato/a
era durato/a
eravamo durati/e
eravate durati/e
erano durati/e

PAST ANTERIOR
fui durato/a etc
see page 93

FUTURE PERFECT
sarò durato/a etc
see page 93

CONDITIONAL

PRESENT
durerei
dureresti
durerebbe
dureremmo
durereste
durerebbero

PAST
sarei durato/a
saresti durato/a
sarebbe durato/a
saremmo durati/e
sareste durati/e
sarebbero durati/e

SUBJUNCTIVE

PRESENT
duri
duri
duri
duriamo
duriate
durino

IMPERFECT
durassi
durassi
durasse
durassimo
duraste
durassero

PAST PERFECT
fossi durato/a
fossi durato/a
fosse durato/a
fossimo durati/e
foste durati/e
fossero durati/e

PASSATO PROSSIMO
sia durato/a etc
see page 93

PRESENT INFINITIVE
durare

PAST INFINITIVE
esser(e) durato/a/i/e

GERUND
durando

PAST PARTICIPLE
durato/a/i/e

IMPERATIVE
dura
duri
duriamo
durate
durino

Note: when it has a direct object and means "to endure", **durare** takes **avere** as its auxiliary

INDICATIVE

PRESENT
emergo
emergi
emerge
emergiamo
emergete
emergono

FUTURE
emergerò
emergerai
emergerà
emergeremo
emergerete
emergeranno

IMPERFECT
emergevo
emergevi
emergeva
emergevamo
emergevate
emergevano

PASSATO REMOTO
emersi
emergesti
emerse
emergemmo
emergeste
emersero

PASSATO PROSSIMO
sono emerso/a
sei emerso/a
è emerso/a
siamo emersi/e
siete emersi/e
sono emersi/e

PAST PERFECT
ero emerso/a
eri emerso/a
era emerso/a
eravamo emersi/e
eravate emersi/e
erano emersi/e

PAST ANTERIOR
fui emerso/a etc
see page 93

FUTURE PERFECT
sarò emerso/a etc
see page 93

CONDITIONAL

PRESENT
emergerei
emergeresti
emergerebbe
emergeremmo
emergereste
emergerebbero

PAST
sarei emerso/a
saresti emerso/a
sarebbe emerso/a
saremmo emersi/e
sareste emersi/e
sarebbero emersi/e

SUBJUNCTIVE

PRESENT
emerga
emerga
emerga
emergiamo
emergiate
emergano

IMPERFECT
emergessi
emergessi
emergesse
emergessimo
emergeste
emergessero

PAST PERFECT
fossi emerso/a
fossi emerso/a
fosse emerso/a
fossimo emersi/e
foste emersi/e
fossero emersi/e

PASSATO PROSSIMO
sia emerso/a etc
see page 93

PRESENT INFINITIVE
emergere

PAST INFINITIVE
esser(e) emerso/a/i/e

GERUND
emergendo

PAST PARTICIPLE
emerso/a/i/e

IMPERATIVE

emergi
emerga
emergiamo
emergete
emergano

ENTRARE to enter, to go into

INDICATIVE

PRESENT
entro
entri
entra
entriamo
entrate
entrano

FUTURE
entrerò
entrerai
entrerà
entreremo
entrerete
entreranno

IMPERFECT
entravo
entravi
entrava
entravamo
entravate
entravano

PASSATO REMOTO
entrai
entrasti
entrò
entrammo
entraste
entrarono

PASSATO PROSSIMO
sono entrato/a
sei entrato/a
è entrato/a
siamo entrati/e
siete entrati/e
sono entrati/e

PAST PERFECT
ero entrato/a
eri entrato/a
era entrato/a
eravamo entrati/e
eravate entrati/e
erano entrati/e

PAST ANTERIOR
fui entrato/a etc
see page 93

FUTURE PERFECT
sarò entrato/a etc
see page 93

CONDITIONAL

PRESENT
entrerei
entreresti
entrerebbe
entreremmo
entrereste
entrerebbero

PAST
sarei entrato/a
saresti entrato/a
sarebbe entrato/a
saremmo entrati/e
sareste entrati/e
sarebbero entrati/e

SUBJUNCTIVE

PRESENT
entri
entri
entri
entriamo
entriate
entrino

IMPERFECT
entrassi
entrassi
entrasse
entrassimo
entraste
entrassero

PAST PERFECT
fossi entrato/a
fossi entrato/a
fosse entrato/a
fossimo entrati/e
foste entrati/e
fossero entrati/e

PASSATO PROSSIMO
sia entrato/a etc
see page 93

PRESENT INFINITIVE
entrare

PAST INFINITIVE
esser(e) entrato/a/i/e

GERUND
entrando

PAST PARTICIPLE
entrato/a/i/e

IMPERATIVE

entra
entri
entriamo
entrate
entrino

INDICATIVE

PRESENT
escludo
escludi
esclude
escludiamo
escludete
escludono

FUTURE
escluderò
escluderai
escluderà
escluderemo
escluderete
escluderanno

IMPERFECT
escludevo
escludevi
escludeva
escludevamo
escludevate
escludevano

PASSATO REMOTO
esclusi
escludesti
escluse
escludemmo
escludeste
esclusero

PASSATO PROSSIMO
ho escluso
hai escluso
ha escluso
abbiamo escluso
avete escluso
hanno escluso

PAST PERFECT
avevo escluso
avevi escluso
aveva escluso
avevamo escluso
avevate escluso
avevano escluso

PAST ANTERIOR
ebbi escluso etc
see page 25

FUTURE PERFECT
avrò escluso etc
see page 25

CONDITIONAL

PRESENT
escluderei
escluderesti
escluderebbe
escluderemmo
escludereste
escluderebbero

PAST
avrei escluso
avresti escluso
avrebbe escluso
avremmo escluso
avreste escluso
avrebbero escluso

SUBJUNCTIVE

PRESENT
escluda
escluda
escluda
escludiamo
escludiate
escludano

IMPERFECT
escludessi
escludessi
escludesse
escludessimo
escludeste
escludessero

PAST PERFECT
avessi escluso
avessi escluso
avesse escluso
avessimo escluso
aveste escluso
avessero escluso

PASSATO PROSSIMO
abbia escluso etc
see page 25

PRESENT INFINITIVE
escludere

PAST INFINITIVE
aver(e) escluso

GERUND
escludendo

PAST PARTICIPLE
escluso

IMPERATIVE

escludi
escluda
escludiamo
escludete
escludano

ESISTERE to exist, to be

INDICATIVE

PRESENT
esisto
esisti
esiste
esistiamo
esistete
esistono

FUTURE
esisterò
esisterai
esisterà
esisteremo
esisterete
esisteranno

IMPERFECT
esistevo
esistevi
esisteva
esistevamo
esistevate
esistevano

PASSATO REMOTO
esistei/esistetti
esistesti
esisté/esistette
esistemmo
esisteste
esisterono/esistettero

PASSATO PROSSIMO
sono esistito/a
sei esistito/a
è esistito/a
siamo esistiti/e
siete esistiti/e
sono esistiti/e

PAST PERFECT
ero esistito/a
eri esistito/a
era esistito/a
eravamo esistiti/e
eravate esistiti/e
erano esistiti/e

PAST ANTERIOR
fui esistito/a etc
see page 93

FUTURE PERFECT
sarò esistito/a etc
see page 93

CONDITIONAL

PRESENT
esisterei
esisteresti
esisterebbe
esisteremmo
esistereste
esisterebbero

PAST
sarei esistito/a
saresti esistito/a
sarebbe esistito/a
saremmo esistiti/e
sareste esistiti/e
sarebbero esistiti/e

SUBJUNCTIVE

PRESENT
esista
esista
esista
esistiamo
esistiate
esistano

IMPERFECT
esistessi
esistessi
esistesse
esistessimo
esisteste
esistessero

PAST PERFECT
fossi esistito/a
fossi esistito/a
fosse esistito/a
fossimo esistiti/e
foste esistiti/e
fossero esistiti/e

PASSATO PROSSIMO
sia esistito/a etc
see page 93

PRESENT INFINITIVE
esistere

PAST INFINITIVE
esser(e) esistito/a/i/e

GERUND
esistendo

PAST PARTICIPLE
esistito/a/i/e

IMPERATIVE
esisti
esista
esistiamo
esistete
esistano

ESITARE to hesitate

INDICATIVE

PRESENT
esito
esiti
esita
esitiamo
esitate
esitano

FUTURE
esiterò
esiterai
esiterà
esiteremo
esiterete
esiteranno

IMPERFECT
esitavo
esitavi
esitava
esitavamo
esitavate
esitavano

PASSATO REMOTO
esitai
esitasti
esitò
esitammo
esitaste
esitarono

PASSATO PROSSIMO
ho esitato
hai esitato
ha esitato
abbiamo esitato
avete esitato
hanno esitato

PAST PERFECT
avevo esitato
avevi esitato
aveva esitato
avevamo esitato
avevate esitato
avevano esitato

PAST ANTERIOR
ebbi esitato etc
see page 25

FUTURE PERFECT
avrò esitato etc
see page 25

CONDITIONAL

PRESENT
esiterei
esiteresti
esiterebbe
esiteremmo
esitereste
esiterebbero

PAST
avrei esitato
avresti esitato
avrebbe esitato
avremmo esitato
avreste esitato
avrebbero esitato

SUBJUNCTIVE

PRESENT
esiti
esiti
esiti
esitiamo
esitiate
esitino

IMPERFECT
esitassi
esitassi
esitasse
esitassimo
esitaste
esitassero

PAST PERFECT
avessi esitato
avessi esitato
avesse esitato
avessimo esitato
aveste esitato
avessero esitato

PASSATO PROSSIMO
abbia esitato etc
see page 25

PRESENT INFINITIVE
esitare

PAST INFINITIVE
aver(e) esitato

GERUND
esitando

PAST PARTICIPLE
esitato

IMPERATIVE

esita
esiti
esitiamo
esitate
esitino

ESPELLERE to expel

INDICATIVE

PRESENT
espello
espelli
espelle
espelliamo
espellete
espellono

FUTURE
espellerò
espellerai
espellerà
espelleremo
espellerete
espelleranno

IMPERFECT
espellevo
espellevi
espelleva
espellevamo
espellevate
espellevano

PASSATO REMOTO
espulsi
espellesti
espulse
espellemmo
espelleste
espulsero

PASSATO PROSSIMO
ho espulso
hai espulso
ha espulso
abbiamo espulso
avete espulso
hanno espulso

PAST PERFECT
avevo espulso
avevi espulso
aveva espulso
avevamo espulso
avevate espulso
avevano espulso

PAST ANTERIOR
ebbi espulso etc
see page 25

FUTURE PERFECT
avrò espulso etc
see page 25

CONDITIONAL

PRESENT
espellerei
espelleresti
espellerebbe
espelleremmo
espellereste
espellerebbero

PAST
avrei espulso
avresti espulso
avrebbe espulso
avremmo espulso
avreste espulso
avrebbero espulso

SUBJUNCTIVE

PRESENT
espella
espella
espella
espelliamo
espelliate
espellano

IMPERFECT
espellessi
espellessi
espellesse
espellessimo
espelleste
espellessero

PAST PERFECT
avessi espulso
avessi espulso
avesse espulso
avessimo espulso
aveste espulso
avessero espulso

PASSATO PROSSIMO
abbia espulso etc
see page 25

PRESENT INFINITIVE
espellere

PAST INFINITIVE
aver(e) espulso

GERUND
espellendo

PAST PARTICIPLE
espulso

IMPERATIVE

espelli
espella
espelliamo
espellete
espellano

INDICATIVE

PRESENT
esprimo
esprimi
esprime
esprimiamo
esprimete
esprimono

FUTURE
esprimerò
esprimerai
esprimerà
esprimeremo
esprimerete
esprimeranno

IMPERFECT
esprimevo
esprimevi
esprimeva
esprimevamo
esprimevate
esprimevano

PASSATO REMOTO
espressi
esprimesti
espresse
esprimemmo
esprimeste
espressero

PASSATO PROSSIMO
ho espresso
hai espresso
ha espresso
abbiamo espresso
avete espresso
hanno espresso

PAST PERFECT
avevo espresso
avevi espresso
aveva espresso
avevamo espresso
avevate espresso
avevano espresso

PAST ANTERIOR
ebbi espresso etc
see *page 25*

FUTURE PERFECT
avrò espresso etc
see *page 25*

CONDITIONAL

PRESENT
esprimerei
esprimeresti
esprimerebbe
esprimeremmo
esprimereste
esprimerebbero

PAST
avrei espresso
avresti espresso
avrebbe espresso
avremmo espresso
avreste espresso
avrebbero espresso

IMPERATIVE

esprimi
esprima
esprimiamo
esprimete
esprimano

SUBJUNCTIVE

PRESENT
esprima
esprima
esprima
esprimiamo
esprimiate
esprimano

IMPERFECT
esprimessi
esprimessi
esprimesse
esprimessimo
esprimeste
esprimessero

PAST PERFECT
avessi espresso
avessi espresso
avesse espresso
avessimo espresso
aveste espresso
avessero espresso

PASSATO PROSSIMO
abbia espresso etc
see *page 25*

PRESENT INFINITIVE
esprimere

PAST INFINITIVE
aver(e) espresso

GERUND
esprimendo

PAST PARTICIPLE
espresso

ESSERE to be

INDICATIVE

PRESENT
sono
sei
è
siamo
siete
sono

FUTURE
sarò
sarai
sarà
saremo
sarete
saranno

IMPERFECT
ero
eri
era
eravamo
eravate
erano

PASSATO REMOTO
fui
fosti
fu
fummo
foste
furono

PASSATO PROSSIMO
sono stato/a
sei stato/a
è stato/a
siamo stati/e
siete stati/e
sono stati/e

PAST PERFECT
ero stato/a
eri stato/a
era stato/a
eravamo stati/e
eravate stati/e
erano stati/e

PAST ANTERIOR
fui stato/a etc
see *PASSATO REMOTO*

FUTURE PERFECT
sarò stato/a etc
see *FUTURE*

CONDITIONAL

PRESENT
sarei
saresti
sarebbe
saremmo
sareste
sarebbero

PAST
sarei stato/a
saresti stato/a
sarebbe stato/a
saremmo stati/e
sareste stati/e
sarebbero stati/e

SUBJUNCTIVE

PRESENT
sia
sia
sia
siamo
siate
siano

IMPERFECT
fossi
fossi
fosse
fossimo
foste
fossero

PAST PERFECT
fossi stato/a
fossi stato/a
fosse stato/a
fossimo stati/e
foste stati/e
fossero stati/e

PASSATO PROSSIMO
sia stato/a etc
see *PRESENT SUBJUNCTIVE*

PRESENT INFINITIVE
essere

PAST INFINITIVE
esser(e) stato/a/i/e

GERUND
essendo

PAST PARTICIPLE
stato/a/i/e

IMPERATIVE

sii
sia
siamo
siate
siano

NOTES

1 MEANING

to be, to exist, to live

2 CONSTRUCTIONS WITH PREPOSITIONS

essere contro qualcuno	to be against someone
essere contro di + *disjunctive personal pronoun*	to be against someone
essere di qualcuno	to belong to someone

3 PHRASES AND IDIOMS

chi è? - sono io	who is it? it's me
è di Milano	he/she comes from Milan
che ore sono? - sono le due	what's the time? – it's two o'clock
domani siamo a casa tutto il giorno	tomorrow we'll be at home all day
era in piedi davanti a me	he/she was standing in front of me
questo libro è di Maria	this book is Mary's
che c'è di nuovo?	what's new?
c'era una volta ...	once upon a time ...
sono d'accordo con te	I agree with you

FARE to do, to make

INDICATIVE

PRESENT
faccio
fai
fa
facciamo
fate
fanno

FUTURE
farò
farai
farà
faremo
farete
faranno

IMPERFECT
facevo
facevi
faceva
facevamo
facevate
facevano

PASSATO REMOTO
feci
facesti
fece
facemmo
faceste
fecero

PASSATO PROSSIMO
ho fatto
hai fatto
ha fatto
abbiamo fatto
avete fatto
hanno fatto

PAST PERFECT
avevo fatto
avevi fatto
aveva fatto
avevamo fatto
avevate fatto
avevano fatto

PAST ANTERIOR
ebbi fatto etc
see page 25

FUTURE PERFECT
avrò fatto etc
see page 25

CONDITIONAL

PRESENT
farei
faresti
farebbe
faremmo
fareste
farebbero

PAST
avrei fatto
avresti fatto
avrebbe fatto
avremmo fatto
avreste fatto
avrebbero fatto

SUBJUNCTIVE

PRESENT
faccia
faccia
faccia
facciamo
facciate
facciano

IMPERFECT
facessi
facessi
facesse
facessimo
faceste
facessero

PAST PERFECT
avessi fatto
avessi fatto
avesse fatto
avessimo fatto
aveste fatto
avessero fatto

PASSATO PROSIMMO
abbia fatto etc
see page 25

PRESENT INFINITIVE
fare

PAST INFINITIVE
aver(e) fatto

GERUND
facendo

PAST PARTICIPLE
fatto

IMPERATIVE

fa/fai/fa'
faccia
facciamo
fate
facciano

NOTES

1 MEANING

to do, to make, to create; and an extensive range of idiomatic applications

2 CONSTRUCTIONS WITH PREPOSITIONS

fare da + *noun*	to act as, to be like
fare per + *infinitive*	to make as if to *(do something)*

3 PHRASES AND IDIOMS

che tempo fa?	what's the weather like?
fa freddo oggi	it's cold today
sta facendo un discorso	he/she is making a speech
mi fa paura	it frightens me
abbiamo di meglio da fare	we have better things to do
mio padre fa l'avvocato	my father is a lawyer
mi hanno fatto il suo nome	they mentioned his/her name to me
mi fai un piacere?	will you do me a favour?
faremo di tutto	we will do everything possible
non voglio più aver niente a che fare con lui	I don't want to have anything to do with him any more
lascia fare a me!	let me do it!
dovremo fare senza di te	we will have to do without you
mi fanno male le gambe	my legs are aching
fai presto!	hurry up!

FERMARE to stop

INDICATIVE

PRESENT
fermo
fermi
ferma
fermiamo
fermate
fermano

FUTURE
fermerò
fermerai
fermerà
fermeremo
fermerete
fermeranno

IMPERFECT
fermavo
fermavi
fermava
fermavamo
fermavate
fermavano

PASSATO REMOTO
fermai
fermasti
fermò
fermammo
fermaste
fermarono

PASSATO PROSSIMO
ho fermato
hai fermato
ha fermato
abbiamo fermato
avete fermato
hanno fermato

PAST PERFECT
avevo fermato
avevi fermato
aveva fermato
avevamo fermato
avevate fermato
avevano fermato

PAST ANTERIOR
ebbi fermato etc
see page 25

FUTURE PERFECT
avrò fermato etc
see page 25

CONDITIONAL

PRESENT
fermerei
fermeresti
fermerebbe
fermeremmo
fermereste
fermerebbero

PAST
avrei fermato
avresti fermato
avrebbe fermato
avremmo fermato
avreste fermato
avrebbero fermato

SUBJUNCTIVE

PRESENT
fermi
fermi
fermi
fermiamo
fermiate
fermino

IMPERFECT
fermassi
fermassi
fermasse
fermassimo
fermaste
fermassero

PAST PERFECT
avessi fermato
avessi fermato
avesse fermato
avessimo fermato
aveste fermato
avessero fermato

PASSATO PROSIMMO
abbia fermato etc
see page 25

PRESENT INFINITIVE
fermare

PAST INFINITIVE
aver(e) fermato

GERUND
fermando

PAST PARTICIPLE
fermato

IMPERATIVE

ferma
fermi
fermiamo
fermate
fermino

INDICATIVE

PRESENT
fingo
fingi
finge
fingiamo
fingete
fingono

FUTURE
fingerò
fingerai
fingerà
fingeremo
fingerete
fingeranno

IMPERFECT
fingevo
fingevi
fingeva
fingevamo
fingevate
fingevano

PASSATO REMOTO
finsi
fingesti
finse
fingemmo
fingeste
finsero

PASSATO PROSSIMO
ho finto
hai finto
ha finto
abbiamo finto
avete finto
hanno finto

PAST PERFECT
avevo finto
avevi finto
aveva finto
avevamo finto
avevate finto
avevano finto

PAST ANTERIOR
ebbi finto etc
see page 25

FUTURE PERFECT
avrò finto etc
see page 25

CONDITIONAL

PRESENT
fingerei
fingeresti
fingerebbe
fingeremmo
fingereste
fingerebbero

PAST
avrei finto
avresti finto
avrebbe finto
avremmo finto
avreste finto
avrebbero finto

SUBJUNCTIVE

PRESENT
finga
finga
finga
fingiamo
fingiate
fingano

IMPERFECT
fingessi
fingessi
fingesse
fingessimo
fingeste
fingessero

PAST PERFECT
avessi finto
avessi finto
avesse finto
avessimo finto
aveste finto
avessero finto

PASSATO PROSSIMO
abbia finto etc
see page 25

PRESENT INFINITIVE
fingere

PAST INFINITIVE
aver(e) finto

GERUND
fingendo

PAST PARTICIPLE
finto

IMPERATIVE
fingi
finga
fingiamo
fingete
fingano

FINIRE to finish, to end

INDICATIVE

PRESENT
finisco
finisci
finisce
finiamo
finite
finiscono

FUTURE
finirò
finirai
finirà
finiremo
finirete
finiranno

IMPERFECT
finivo
finivi
finiva
finivamo
finivate
finivano

PASSATO REMOTO
finii
finisti
finì
finimmo
finiste
finirono

PASSATO PROSSIMO
ho finito
hai finito
ha finito
abbiamo finito
avete finito
hanno finito

PAST PERFECT
avevo finito
avevi finito
aveva finito
avevamo finito
avevate finito
avevano finito

PAST ANTERIOR
ebbi finito etc
see page 25

FUTURE PERFECT
avrò finito etc
see page 25

CONDITIONAL

PRESENT
finirei
finiresti
finirebbe
finiremmo
finireste
finirebbero

PAST
avrei finito
avresti finito
avrebbe finito
avremmo finito
avreste finito
avrebbero finito

SUBJUNCTIVE

PRESENT
finisca
finisca
finisca
finiamo
finiate
finiscano

IMPERFECT
finissi
finissi
finisse
finissimo
finiste
finissero

PAST PERFECT
avessi finito
avessi finito
avesse finito
avessimo finito
aveste finito
avessero finito

PASSATO PROSSIMO
abbia finito etc
see page 25

PRESENT INFINITIVE
finire

PAST INFINITIVE
aver(e) finito

GERUND
finendo

PAST PARTICIPLE
finito

IMPERATIVE

finisci
finisca
finiamo
finite
finiscano

NOTES

1 MEANING

(transitive) to finish, to complete, to end, to conclude, to put an end to; *(intransitive)* to come to an end, to be over, to run out, to end up

2 CONSTRUCTIONS WITH PREPOSITIONS

finire di + *infinitive*	to stop, to finish, to leave off, to cease *(doing something)*
finire con/per + *infinitive*	to end up by *(doing something)*

3 GRAMMATICAL INFORMATION

transitive: with **avere** as auxiliary in compound tenses:

ho finito il mio lavoro	I have finished my work
abbiamo finito le provviste	we have finished our supplies
quando hai finito, chiamami	when you have finished, call me

intransitive: with **essere** as auxiliary in compound tenses:

la lezione è finita	the lesson is over
la riunione è finita alle sette	the meeting came to an end at seven o'clock
il pane è finito	the bread's all gone

4 PHRASES AND IDIOMS

è finito in galera	he ended up in jail
è finito bene/male	it turned out well/badly
questa faccenda non finisce mai	this business is neverending
l'esame è sul finire	the exam is nearly over
tutto è bene quel che finisce bene	all's well that ends well
come andrà a finire?	how will he/she/it end up?
finiscila!	stop it!

FONDERE to melt

INDICATIVE

PRESENT
fondo
fondi
fonde
fondiamo
fondete
fondono

FUTURE
fonderò
fonderai
fonderà
fonderemo
fonderete
fonderanno

IMPERFECT
fondevo
fondevi
fondeva
fondevamo
fondevate
fondevano

PASSATO REMOTO
fusi
fondesti
fuse
fondemmo
fondeste
fusero

PASSATO PROSSIMO
ho fuso
hai fuso
ha fuso
abbiamo fuso
avete fuso
hanno fuso

PAST PERFECT
avevo fuso
avevi fuso
aveva fuso
avevamo fuso
avevate fuso
avevano fuso

PAST ANTERIOR
ebbi fuso etc
see page 25

FUTURE PERFECT
avrò fuso etc
see page 25

CONDITIONAL

PRESENT
fonderei
fonderesti
fonderebbe
fonderemmo
fondereste
fonderebbero

PAST
avrei fuso
avresti fuso
avrebbe fuso
avremmo fuso
avreste fuso
avrebbero fuso

SUBJUNCTIVE

PRESENT
fonderei
fonderesti
fonderebbe
fonderemmo
fondereste
fonderebbero

IMPERFECT
fondessi
fondessi
fondesse
fondessimo
fondeste
fondessero

PAST PERFECT
avessi fuso
avessi fuso
avesse fuso
avessimo fuso
aveste fuso
avessero fuso

PAST
abbia fuso etc
see page 25

PRESENT INFINITIVE
fondere

PAST INFINITIVE
aver(e) fuso

GERUND
fondendo

PAST PARTICIPLE
fuso

IMPERATIVE
fondi
fonda
fondiamo
fondete
fondano

INDICATIVE

PRESENT
fornisco
fornisci
fornisce
forniamo
fornite
forniscono

PASSATO REMOTO
fornii
fornisti
fornì
fornimmo
forniste
fornirono

PAST ANTERIOR
ebbi fornito etc
see page 25

FUTURE
fornirò
fornirai
fornirà
forniremo
fornirete
forniranno

PASSATO PROSSIMO
ho fornito
hai fornito
ha fornito
abbiamo fornito
avete fornito
hanno fornito

IMPERFECT
fornivo
fornivi
forniva
fornivamo
fornivate
fornivano

PAST PERFECT
avevo fornito
avevi fornito
aveva fornito
avevamo fornito
avevate fornito
avevano fornito

FUTURE PERFECT
avrò fornito etc
see page 25

CONDITIONAL

PRESENT
fornirei
forniresti
fornirebbe
forniremmo
fornireste
fornirebbero

PAST
avrei fornito
avresti fornito
avrebbe fornito
avremmo fornito
avreste fornito
avrebbero fornito

IMPERATIVE

fornisci
fornisca
forniamo
fornite
forniscano

SUBJUNCTIVE

PRESENT
fornisca
fornisca
fornisca
forniamo
forniate
forniscano

IMPERFECT
fornissi
fornissi
fornisse
fornissimo
forniste
fornissero

PAST PERFECT
avessi fornito
avessi fornito
avesse fornito
avessimo fornito
aveste fornito
avessero fornito

PASSATO PROSSIMO
abbia fornito etc
see page 25

PRESENT INFINITIVE
fornire

PAST INFINITIVE
aver(e) fornito

GERUND
fornendo

PAST PARTICIPLE
fornito

FORZARE to force

INDICATIVE

PRESENT
forzo
forzi
forza
forziamo
forzate
forzano

FUTURE
forzerò
forzerai
forzerà
forzeremo
forzerete
forzeranno

IMPERFECT
forzavo
forzavi
forzava
forzavamo
forzavate
forzavano

PASSATO REMOTO
forzai
forzasti
forzò
forzammo
forzaste
forzarono

PASSATO PROSSIMO
ho forzato
hai forzato
ha forzato
abbiamo forzato
avete forzato
hanno forzato

PAST PERFECT
avevo forzato
avevi forzato
aveva forzato
avevamo forzato
avevate forzato
avevano forzato

PAST ANTERIOR
ebbi forzato etc
see *page* 25

FUTURE PERFECT
avrò forzato etc
see *page* 25

CONDITIONAL

PRESENT
forzerei
forzeresti
forzerebbe
forzeremmo
forzereste
forzerebbero

PAST
avrei forzato
avresti forzato
avrebbe forzato
avremmo forzato
avreste forzato
avrebbero forzato

SUBJUNCTIVE

PRESENT
forzi
forzi
forzi
forziamo
forziate
forzino

IMPERFECT
forzassi
forzassi
forzasse
forzassimo
forzaste
forzassero

PAST PERFECT
avessi forzato
avessi forzato
avesse forzato
avessimo forzato
aveste forzato
avessero forzato

PAST
abbia forzato etc
see *page* 25

PRESENT INFINITIVE
forzare

PAST INFINITIVE
aver(e) forzato

GERUND
forzando

PAST PARTICIPLE
forzato

IMPERATIVE
forza
forzi
forziamo
forzate
forzino

INDICATIVE

PRESENT
fuggo
fuggi
fugge
fuggiamo
fuggite
fuggono

PASSATO REMOTO
fuggii
fuggisti
fuggì
fuggimmo
fuggiste
fuggirono

PAST ANTERIOR
fui fuggito/a etc
see page 93

FUTURE
fuggirò
fuggirai
fuggirà
fuggiremo
fuggirete
fuggiranno

PASSATO PROSSIMO
sono fuggito/a
sei fuggito/a
è fuggito/a
siamo fuggiti/e
siete fuggiti/e
sono fuggiti/e

IMPERFECT
fuggivo
fuggivi
fuggiva
fuggivamo
fuggivate
fuggivano

PAST PERFECT
ero fuggito/a
eri fuggito/a
era fuggito/a
eravamo fuggiti/e
eravate fuggiti/e
erano fuggiti/e

FUTURE PERFECT
sarò fuggito/a etc
see page 93

CONDITIONAL

PRESENT
fuggirei
fuggiresti
fuggirebbe
fuggiremmo
fuggireste
fuggirebbero

PAST
sarei fuggito/a
saresti fuggito/a
sarebbe fuggito/a
saremmo fuggiti/e
sareste fuggiti/e
sarebbero fuggiti/e

IMPERATIVE

fuggi
fugga
fuggiamo
fuggite
fuggano

SUBJUNCTIVE

PRESENT
fugga
fugga
fugga
fuggiamo
fuggiate
fuggano

IMPERFECT
fuggissi
fuggissi
fuggisse
fuggissimo
fuggiste
fuggissero

PAST PERFECT
fossi fuggito/a
fossi fuggito/a
fosse fuggito/a
fossimo fuggiti/e
foste fuggiti/e
fossero fuggiti/e

PASSATO PROSSIMO
sia fuggito/a etc
see page 93

PRESENT INFINITIVE
fuggire

PAST INFINITIVE
essere fuggito/a/i/e

GERUND
fuggendo

PAST PARTICIPLE
fuggito/a/i/e

Note: when **fuggire** is used transitively with the sense of "to avoid/shun", it takes **avere** as its auxiliary in compound tenses, eg **i nostri colleghi ci hanno fuggiti** "our colleagues have avoided us"

FUMARE to smoke

INDICATIVE

PRESENT
fumo
fumi
fuma
fumiamo
fumate
fumano

PASSATO REMOTO
fumai
fumasti
fumò
fumammo
fumaste
fumarono

PAST ANTERIOR
ebbi fumato etc
see page 25

FUTURE
fumerò
fumerai
fumerà
fumeremo
fumerete
fumeranno

PASSATO PROSSIMO
ho fumato
hai fumato
ha fumato
abbiamo fumato
avete fumato
hanno fumato

IMPERFECT
fumavo
fumavi
fumava
fumavamo
fumavate
fumavano

PAST PERFECT
avevo fumato
avevi fumato
aveva fumato
avevamo fumato
avevate fumato
avevano fumato

FUTURE PERFECT
avrò fumato etc
see page 25

CONDITIONAL

PRESENT
fumerei
fumeresti
fumerebbe
fumeremmo
fumereste
fumerebbero

PAST
avrei fumato
avresti fumato
avrebbe fumato
avremmo fumato
avreste fumato
avrebbero fumato

IMPERATIVE
fuma
fumi
fumiamo
fumate
fumino

SUBJUNCTIVE

PRESENT
fumi
fumi
fumi
fumiamo
fumiate
fumino

IMPERFECT
fumassi
fumassi
fumasse
fumassimo
fumaste
fumassero

PAST PERFECT
avessi fumato
avessi fumato
avesse fumato
avessimo fumato
aveste fumato
avessero fumato

PASSATO PROSSIMO
abbia fumato etc
see page 25

PRESENT INFINITIVE
fumare

PAST INFINITIVE
aver(e) fumato

GERUND
fumando

PAST PARTICIPLE
fumato

GETTARE to throw

INDICATIVE

PRESENT
getto
getti
getta
gettiamo
gettate
gettano

FUTURE
getterò
getterai
getterà
getteremo
getterete
getteranno

IMPERFECT
gettavo
gettavi
gettava
gettavamo
gettavate
gettavano

PASSATO REMOTO
gettai
gettasti
gettò
gettammo
gettaste
gettarono

PASSATO PROSSIMO
ho gettato
hai gettato
ha gettato
abbiamo gettato
avete gettato
hanno gettato

PAST PERFECT
avevo gettato
avevi gettato
aveva gettato
avevamo gettato
avevate gettato
avevano gettato

PAST ANTERIOR
ebbi gettato etc
see page 25

FUTURE PERFECT
avrò gettato etc
see page 25

CONDITIONAL

PRESENT
getterei
getteresti
getterebbe
getteremmo
gettereste
getterebbero

PAST
avrei gettato
avresti gettato
avrebbe gettato
avremmo gettato
avreste gettato
avrebbero gettato

SUBJUNCTIVE

PRESENT
getti
getti
getti
gettiamo
gettiate
gettino

IMPERFECT
gettassi
gettassi
gettasse
gettassimo
gettaste
gettassero

PAST PERFECT
avessi gettato
avessi gettato
avesse gettato
avessimo gettato
aveste gettato
avessero gettato

PASSATO PROSSIMO
abbia gettato etc
see page 25

PRESENT INFINITIVE
gettare

PAST INFINITIVE
aver(e) gettato

GERUND
gettando

PAST PARTICIPLE
gettato

IMPERATIVE

getta
getti
gettiamo
gettate
gettino

GIACERE to lie, to be situated

INDICATIVE

PRESENT
giaccio
giaci
giace
giacciamo
giacete
giacciono

PASSATO REMOTO
giacqui
giacesti
giacque
giacemmo
giaceste
giacquero

PAST ANTERIOR
fui giaciuto/a etc
see page 93

FUTURE
giacerò
giacerai
giacerà
giaceremo
giacerete
giaceranno

PASSATO PROSSIMO
sono giaciuto/a
sei giaciuto/a
è giaciuto/a
siamo giaciuti/e
siete giaciuti/e
sono giaciuti/e

IMPERFECT
giacevo
giacevi
giaceva
giacevamo
giacevate
giacevano

PAST PERFECT
ero giaciuto/a
eri giaciuto/a
era giaciuto/a
eravamo giaciuti/e
eravate giaciuti/e
erano giaciuti/e

FUTURE PERFECT
sarò giaciuto/a etc
see page 93

CONDITIONAL

PRESENT
giacerei
giaceresti
giacerebbe
giaceremmo
giacereste
giacerebbero

PAST
sarei giaciuto/a
saresti giaciuto/a
sarebbe giaciuto/a
saremmo giaciuti/e
sareste giaciuti/e
sarebbero giaciuti/e

IMPERATIVE
giaci
giaccia
giacciamo
giacete
giacciano

SUBJUNCTIVE

PRESENT
giaccia
giaccia
giaccia
giacciamo
giacciate
giacciano

IMPERFECT
giacessi
giacessi
giacesse
giacessimo
giaceste
giacessero

PAST PERFECT
fossi giaciuto/a
fossi giaciuto/a
fosse giaciuto/a
fossimo giaciuti/e
foste giaciuti/e
fossero giaciuti/e

PASSATO PROSSIMO
sia giaciuto/a etc
see page 93

PRESENT INFINITIVE
giacere

PAST INFINITIVE
esser(e) giaciuto/a/i/e

GERUND
giacendo

PAST PARTICIPLE
giaciuto/a/i/e

GIOCARE to play

INDICATIVE

PRESENT
gioco/giuoco
giochi/giuochi
gioca/giuoca
giochiamo/giuochiamo
giocate/giuocate
giocano/giuocano

FUTURE
giocherò
giocherai
giocherà
giocheremo
giocherete
giocheranno

IMPERFECT
giocavo
giocavi
giocava
giocavamo
giocavate
giocavano

PASSATO REMOTO
giocai
giocasti
giocò
giocammo
giocaste
giocarono

PASSATO PROSSIMO
ho giocato
hai giocato
ha giocato
abbiamo giocato
avete giocato
hanno giocato

PAST PERFECT
avevo giocato
avevi giocato
aveva giocato
avevamo giocato
avevate giocato
avevano giocato

PAST ANTERIOR
ebbi giocato etc
see page 25

FUTURE PERFECT
avrò giocato etc
see page 25

CONDITIONAL

PRESENT
giocherei
giocheresti
giocherebbe
giocheremmo
giochereste
giocherebbero

PAST
avrei giocato
avresti giocato
avrebbe giocato
avremmo giocato
avreste giocato
avrebbero giocato

SUBJUNCTIVE

PRESENT
giochi
giochi
giochi
giochiamo
giochiate
giochino

IMPERFECT
giocassi
giocassi
giocasse
giocassimo
giocaste
giocassero

PAST PERFECT
avessi giocato
avessi giocato
avesse giocato
avessimo giocato
aveste giocato
avessero giocato

PASSATO PROSSIMO
abbia giocato etc
see page 25

PRESENT INFINITIVE
giocare

PAST INFINITIVE
aver(e) giocato

GERUND
giocando

PAST PARTICIPLE
giocato

IMPERATIVE
gioca
giochi
giochiamo
giocate
giochino

GIUNGERE to arrive at, to get as far as

INDICATIVE

PRESENT
giungo
giungi
giunge
giungiamo
giungete
giungono

FUTURE
giungerò
giungerai
giungerà
giungeremo
giungerete
giungeranno

IMPERFECT
giungevo
giungevi
giungeva
giungevamo
giungevate
giungevano

PASSATO REMOTO
giunsi
giungesti
giunse
giungemmo
giungeste
giunsero

PASSATO PROSSIMO
sono giunto/a
sei giunto/a
è giunto/a
siamo giunti/e
siete giunti/e
sono giunti/e

PAST PERFECT
ero giunto/a
eri giunto/a
era giunto/a
eravamo giunti/e
eravate giunti/e
erano giunti/e

PAST ANTERIOR
fui giunto/a etc
see page 93

FUTURE PERFECT
sarò giunto/a etc
see page 93

CONDITIONAL

PRESENT
giungerei
giungeresti
giungerebbe
giungeremmo
giungereste
giungerebbero

PAST
sarei giunto/a
saresti giunto/a
sarebbe giunto/a
saremmo giunti/e
sareste giunti/e
sarebbero giunti/e

SUBJUNCTIVE

PRESENT
giunga
giunga
giunga
giungiamo
giungiate
giungano

IMPERFECT
giungessi
giungessi
giungesse
giungessimo
giungeste
giungessero

PAST PERFECT
fossi giunto/a
fossi giunto/a
fosse giunto/a
fossimo giunti/e
foste giunti/e
fossero giunti/e

PASSATO PROSSIMO
sia giunto/a etc
see page 93

PRESENT INFINITIVE
giungere

PAST INFINITIVE
esser(e) giunto/a/i/e

GERUND
giungendo

PAST PARTICIPLE
giunto/a/i/e

IMPERATIVE
giungi
giunga
giungiamo
giungete
giungano

GODERE to enjoy

INDICATIVE

PRESENT
godo
godi
gode
godiamo
godete
godono

FUTURE
godrò
godrai
godrà
godremo
godrete
godranno

IMPERFECT
godevo
godevi
godeva
godevamo
godevate
godevano

PASSATO REMOTO
godei/godetti
godesti
godé/godette
godemmo
godeste
goderono/godettero

PASSATO PROSSIMO
ho goduto
hai goduto
ha goduto
abbiamo goduto
avete goduto
hanno goduto

PAST PERFECT
avevo goduto
avevi goduto
aveva goduto
avevamo goduto
avevate goduto
avevano goduto

PAST ANTERIOR
ebbi goduto etc
see page 25

FUTURE PERFECT
avrò goduto etc
see page 25

CONDITIONAL

PRESENT
godrei
godresti
godrebbe
godremmo
godreste
godrebbero

PAST
avrei goduto
avresti goduto
avrebbe goduto
avremmo goduto
avreste goduto
avrebbero goduto

SUBJUNCTIVE

PRESENT
goda
goda
goda
godiamo
godiate
godano

IMPERFECT
godessi
godessi
godesse
godessimo
godeste
godessero

PAST PERFECT
avessi goduto
avessi goduto
avesse goduto
avessimo goduto
aveste goduto
avessero goduto

PASSATO PROSSIMO
abbia goduto etc
see page 25

PRESENT INFINITIVE
godere

PAST INFINITIVE
aver(e) goduto

GERUND
godendo

PAST PARTICIPLE
goduto

IMPERATIVE

godi
goda
godiamo
godete
godano

GUARDARE to look at, to look after

INDICATIVE

PRESENT
guardo
guardi
guarda
guardiamo
guardate
guardano

PASSATO REMOTO
guardai
guardasti
guardò
guardammo
guardaste
guardarono

PAST ANTERIOR
ebbi guardato etc
see page 25

FUTURE
guarderò
guarderai
guarderà
guarderemo
guarderete
guarderanno

PASSATO PROSSIMO
ho guardato
hai guardato
ha guardato
abbiamo guardato
avete guardato
hanno guardato

IMPERFECT
guardavo
guardavi
guardava
guardavamo
guardavate
guardavano

PAST PERFECT
avevo guardato
avevi guardato
aveva guardato
avevamo guardato
avevate guardato
avevano guardato

FUTURE PERFECT
avrò guardato etc
see page 25

CONDITIONAL

PRESENT
guarderei
guarderesti
guarderebbe
guarderemmo
guardereste
guarderebbero

PAST
avrei guardato
avresti guardato
avrebbe guardato
avremmo guardato
avreste guardato
avrebbero guardato

IMPERATIVE
guarda
guardi
guardiamo
guardate
guardino

SUBJUNCTIVE

PRESENT
guardi
guardi
guardi
guardiamo
guardiate
guardino

IMPERFECT
guardassi
guardassi
guardasse
guardassimo
guardaste
guardassero

PAST PERFECT
avessi guardato
avessi guardato
avesse guardato
avessimo guardato
aveste guardato
avessero guardato

PASSATO PROSSIMO
abbia guardato etc
see page 25

PRESENT INFINITIVE
guardare

PAST INFINITIVE
aver(e) guardato

GERUND
guardando

PAST PARTICIPLE
guardato

GUASTARE to spoil, to damage, to ruin

INDICATIVE

PRESENT
guasto
guasti
guasta
guastiamo
guastate
guastano

FUTURE
guasterò
guasterai
guasterà
guasteremo
guasterete
guasteranno

IMPERFECT
guastavo
guastavi
guastava
guastavamo
guastavate
guastavano

PASSATO REMOTO
guastai
guastasti
guastò
guastammo
guastaste
guastarono

PASSATO PROSSIMO
ho guastato
hai guastato
ha guastato
abbiamo guastato
avete guastato
hanno guastato

PAST PERFECT
avevo guastato
avevi guastato
aveva guastato
avevamo guastato
avevate guastato
avevano guastato

PAST ANTERIOR
ebbi guastato etc
see page 25

FUTURE PERFECT
avrò guastato etc
see page 25

CONDITIONAL

PRESENT
guasterei
guasteresti
guasterebbe
guasteremmo
guastereste
guasterebbero

PAST
avrei guastato
avresti guastato
avrebbe guastato
avremmo guastato
avreste guastato
avrebbero guastato

SUBJUNCTIVE

PRESENT
guasti
guasti
guasti
guastiamo
guastiate
guastino

IMPERFECT
guastassi
guastassi
guastasse
guastassimo
guastaste
guastassero

PAST PERFECT
avessi guastato
avessi guastato
avesse guastato
avessimo guastato
aveste guastato
avessero guastato

PASSATO PROSSIMO
abbia guastato etc
see page 25

PRESENT INFINITIVE
guastare

PAST INFINITIVE
aver(e) guastato

GERUND
guastando

PAST PARTICIPLE
guastato

IMPERATIVE

guasta
guasti
guastiamo
guastate
guastino

INDICATIVE

PRESENT
imparo
impari
impara
impariamo
imparate
imparano

FUTURE
imparerò
imparerai
imparerà
impareremo
imparerete
impareranno

IMPERFECT
imparavo
imparavi
imparava
imparavamo
imparavate
imparavano

PASSATO REMOTO
imparai
imparasti
imparò
imparammo
imparaste
impararono

PASSATO PROSSIMO
ho imparato
hai imparato
ha imparato
abbiamo imparato
avete imparato
hanno imparato

PAST PERFECT
avevo imparato
avevi imparato
aveva imparato
avevamo imparato
avevate imparato
avevano imparato

PAST ANTERIOR
ebbi imparato etc
see page 25

FUTURE PERFECT
avrò imparato etc
see page 25

CONDITIONAL

PRESENT
imparerei
impareresti
imparerebbe
impareremmo
imparereste
imparerebbero

PAST
avrei imparato
avresti imparato
avrebbe imparato
avremmo imparato
avreste imparato
avrebbero imparato

SUBJUNCTIVE

PRESENT
impari
impari
impari
impariamo
impariate
imparino

IMPERFECT
imparassi
imparassi
imparasse
imparassimo
imparaste
imparassero

PAST PERFECT
avessi imparato
avessi imparato
avesse imparato
avessimo imparato
aveste imparato
avessero imparato

PASSATO PROSSIMO
abbia imparato etc
see page 25

PRESENT INFINITIVE
imparare

PAST INFINITIVE
aver(e) imparato

GERUND
imparando

PAST PARTICIPLE
imparato

IMPERATIVE

impara
impari
impariamo
imparate
imparino

IMPEDIRE to prevent

INDICATIVE

PRESENT
impedisco
impedisci
impedisce
impediamo
impedite
impediscono

FUTURE
impedirò
impedirai
impedirà
impediremo
impedirete
impediranno

IMPERFECT
impedivo
impedivi
impediva
impedivamo
impedivate
impedivano

PASSATO REMOTO
impedii
impedisti
impedì
impedimmo
impediste
impedirono

PASSATO PROSSIMO
ho impedito
hai impedito
ha impedito
abbiamo impedito
avete impedito
hanno impedito

PAST PERFECT
avevo impedito
avevi impedito
aveva impedito
avevamo impedito
avevate impedito
avevano impedito

PAST ANTERIOR
ebbi impedito etc
see page 25

FUTURE PERFECT
avrò impedito etc
see page 25

CONDITIONAL

PRESENT
impedirei
impediresti
impedirebbe
impediremmo
impedireste
impedirebbero

PAST
avrei impedito
avresti impedito
avrebbe impedito
avremmo impedito
avreste impedito
avrebbero impedito

SUBJUNCTIVE

PRESENT
impedisca
impedisca
impedisca
impediamo
impediate
impediscano

IMPERFECT
impedissi
impedissi
impedisse
impedissimo
impediste
impedissero

PAST PERFECT
avessi impedito
avessi impedito
avesse impedito
avessimo impedito
aveste impedito
avessero impedito

PASSATO PROSSIMO
abbia impedito etc
see page 25

PRESENT INFINITIVE
impedire

PAST INFINITIVE
aver(e) impedito

GERUND
impedendo

PAST PARTICIPLE
impedito

IMPERATIVE
impedisci
impedisca
impediamo
impedite
impediscano

INCIDERE to cut into, to engrave

INDICATIVE

PRESENT
incido
incidi
incide
incidiamo
incidete
incidono

PASSATO REMOTO
incisi
incidesti
incise
incidemmo
incideste
incisero

PAST ANTERIOR
ebbi inciso etc
see page 25

FUTURE
inciderò
inciderai
inciderà
incideremo
inciderete
incideranno

PASSATO PROSSIMO
ho inciso
hai inciso
ha inciso
abbiamo inciso
avete inciso
hanno inciso

IMPERFECT
incidevo
incidevi
incideva
incidevamo
incidevate
incidevano

PAST PERFECT
avevo inciso
avevi inciso
aveva inciso
avevamo inciso
avevate inciso
avevano inciso

FUTURE PERFECT
avrò inciso etc
see page 25

CONDITIONAL

PRESENT
inciderei
incideresti
inciderebbe
incideremmo
incidereste
inciderebbero

PAST
avrei inciso
avresti inciso
avrebbe inciso
avremmo inciso
avreste inciso
avrebbero inciso

IMPERATIVE
incidi
incida
incidiamo
incidete
incidano

SUBJUNCTIVE

PRESENT
incida
incida
incida
incidiamo
incidiate
incidano

IMPERFECT
incidessi
incidessi
incidesse
incidessimo
incideste
incidessero

PAST PERFECT
avessi inciso
avessi inciso
avesse inciso
avessimo inciso
aveste inciso
avessero inciso

PASSATO PROSSIMO
abbia inciso etc
see page 25

PRESENT INFINITIVE
incidere

PAST INFINITIVE
aver(e) inciso

GERUND
incidendo

PAST PARTICIPLE
inciso

INCONTRARE to meet

INDICATIVE

PRESENT
incontro
incontri
incontra
incontriamo
incontrate
incontrano

FUTURE
incontrerò
incontrerai
incontrerà
incontreremo
incontrerete
incontreranno

IMPERFECT
incontravo
incontravi
incontrava
incontravamo
incontravate
incontravano

PASSATO REMOTO
incontrai
incontrasti
incontrò
incontrammo
incontraste
incontrarono

PASSATO PROSSIMO
ho incontrato
hai incontrato
ha incontrato
abbiamo incontrato
avete incontrato
hanno incontrato

PAST PERFECT
avevo incontrato
avevi incontrato
aveva incontrato
avevamo incontrato
avevate incontrato
avevano incontrato

PAST ANTERIOR
ebbi incontrato etc
see page 25

FUTURE PERFECT
avrò incontrato etc
see page 25

CONDITIONAL

PRESENT
incontrerei
incontreresti
incontrerebbe
incontreremmo
incontrereste
incontrerebbero

PAST
avrei incontrato
avresti incontrato
avrebbe incontrato
avremmo incontrato
avreste incontrato
avrebbero incontrato

SUBJUNCTIVE

PRESENT
incontri
incontri
incontri
incontriamo
incontriate
incontrino

IMPERFECT
incontrassi
incontrassi
incontrasse
incontrassimo
incontraste
incontrassero

PAST PERFECT
avessi incontrato
avessi incontrato
avesse incontrato
avessimo incontrato
aveste incontrato
avessero incontrato

PASSATO PROSSIMO
abbia incontrato etc
see page 25

PRESENT INFINITIVE
incontrare

PAST INFINITIVE
aver(e) incontrato

GERUND
incontrando

PAST PARTICIPLE
incontrato

IMPERATIVE

incontra
incontri
incontriamo
incontrate
incontrino

INFERIRE to inflict, to infer

INDICATIVE

PRESENT
inferisco
inferisci
inferisce
inferiamo
inferite
inferiscono

FUTURE
inferirò
inferirai
inferirà
inferiremo
inferirete
inferiranno

IMPERFECT
inferivo
inferivi
inferiva
inferivamo
inferivate
inferivano

PASSATO REMOTO
infersi/inferii
inferisti
inferse/inferì
inferimmo
inferiste
infersero/inferirono

PASSATO PROSSIMO
ho inferto/inferito
hai inferto/inferito
ha inferto/inferito
abbiamo inferto/inferito
avete inferto/inferito
hanno inferto/inferito

PAST PERFECT
avevo inferto/inferito
avevi inferto/inferito
aveva inferto/inferito
avevamo inferto/inferito
avevate inferto/inferito
avevano inferto/inferito

PAST ANTERIOR
ebbi inferto/inferito etc
see page 25

FUTURE PERFECT
avrò inferto/inferito etc
see page 25

CONDITIONAL

PRESENT
inferirei
inferiresti
inferirebbe
inferiremmo
inferireste
inferirebbero

PAST
avrei inferto/inferito
avresti inferto/inferito
avrebbe inferto/inferito
avremmo inferto/inferito
avreste inferto/inferito
avrebbero inferto/inferito

SUBJUNCTIVE

PRESENT
inferisca
inferisca
inferisca
inferiamo
inferiate
inferiscano

IMPERFECT
inferissi
inferissi
inferisse
inferissimo
inferiste
inferissero

PAST PERFECT
avessi inferto/inferito
avessi inferto/inferito
avesse inferto/inferito
avessimo inferto/inferito
aveste inferto/inferito
avessero inferto/inferito

PASSATO PROSSIMO
abbia inferto/inferito etc
see page 25

PRESENT INFINITIVE
inferire

PAST INFINITIVE
aver(e) inferto/inferito

GERUND
inferendo

PAST PARTICIPLE
inferto/inferito

IMPERATIVE
inferisci
inferisca
inferiamo
inferite
inferiscano

Note: for "to inflict" use passato remoto **infersi/inferse/infersero** and the past participle **inferto**; for "to infer" use **inferii/inferì/inferirono** and **inferito**

INSEGNARE to teach

INDICATIVE

PRESENT
insegno
insegni
insegna
insegniamo
insegnate
insegnano

FUTURE
insegnerò
insegnerai
insegnerà
insegneremo
insegnerete
insegneranno

IMPERFECT
insegnavo
insegnavi
insegnava
insegnavamo
insegnavate
insegnavano

PASSATO REMOTO
insegnai
insegnasti
insegnò
insegnammo
insegnaste
insegnarono

PASSATO PROSSIMO
ho insegnato
hai insegnato
ha insegnato
abbiamo insegnato
avete insegnato
hanno insegnato

PAST PERFECT
avevo insegnato
avevi insegnato
aveva insegnato
avevamo insegnato
avevate insegnato
avevano insegnato

PAST ANTERIOR
ebbi insegnato etc
see page 25

FUTURE PERFECT
avrò insegnato etc
see page 25

CONDITIONAL

PRESENT
insegnerei
insegneresti
insegnerebbe
insegneremmo
insegnereste
insegnerebbero

PAST
avrei insegnato
avresti insegnato
avrebbe insegnato
avremmo insegnato
avreste insegnato
avrebbero insegnato

SUBJUNCTIVE

PRESENT
insegni
insegni
insegni
insegniamo
insegniate
insegnino

IMPERFECT
insegnassi
insegnassi
insegnasse
insegnassimo
insegnaste
insegnassero

PAST PERFECT
avessi insegnato
avessi insegnato
avesse insegnato
avessimo insegnato
aveste insegnato
avessero insegnato

PASSATO PROSSIMO
abbia insegnato etc
see page 25

PRESENT INFINITIVE
insegnare

PAST INFINITIVE
aver(e) insegnato

GERUND
insegnando

PAST PARTICIPLE
insegnato

IMPERATIVE

insegna
insegni
insegniamo
insegnate
insegnino

INDICATIVE

PRESENT
invado
invadi
invade
invadiamo
invadete
invadono

FUTURE
invaderò
invaderai
invaderà
invaderemo
invaderete
invaderanno

IMPERFECT
invadevo
invadevi
invadeva
invadevamo
invadevate
invadevano

PASSATO REMOTO
invasi
invadesti
invase
invademmo
invadeste
invasero

PASSATO PROSSIMO
ho invaso
hai invaso
ha invaso
abbiamo invaso
avete invaso
hanno invaso

PAST PERFECT
avevo invaso
avevi invaso
aveva invaso
avevamo invaso
avevate invaso
avevano invaso

PAST ANTERIOR
ebbi invaso etc
see page 25

FUTURE PERFECT
avrò invaso etc
see page 25

CONDITIONAL

PRESENT
invaderei
invaderesti
invaderebbe
invaderemmo
invadereste
invaderebbero

PAST
avrei invaso
avresti invaso
avrebbe invaso
avremmo invaso
avreste invaso
avrebbero invaso

SUBJUNCTIVE

PRESENT
invada
invada
invada
invadiamo
invadiate
invadano

IMPERFECT
invadessi
invadessi
invadesse
invadessimo
invadeste
invadessero

PAST PERFECT
avessi invaso
avessi invaso
avesse invaso
avessimo invaso
aveste invaso
avessero invaso

PASATTO PROSSIMO
abbia invaso etc
see page 25

PRESENT INFINITIVE
invadere

PAST INFINITIVE
aver(e) invaso

GERUND
invadendo

PAST PARTICIPLE
invaso

IMPERATIVE

invadi
invada
invadiamo
invadete
invadano

INVIARE to send (off)

INDICATIVE

PRESENT
invio
invii
invia
inviamo
inviate
inviano

FUTURE
invierò
invierai
invierà
invieremo
invierete
invieranno

IMPERFECT
inviavo
inviavi
inviava
inviavamo
inviavate
inviavano

PASSATO REMOTO
inviai
inviasti
inviò
inviammo
inviaste
inviarono

PASSATO PROSSIMO
ho inviato
hai inviato
ha inviato
abbiamo inviato
avete inviato
hanno inviato

PAST PERFECT
avevo inviato
avevi inviato
aveva inviato
avevamo inviato
avevate inviato
avevano inviato

PAST ANTERIOR
ebbi inviato etc
see page 25

FUTURE PERFECT
avrò inviato etc
see page 25

CONDITIONAL

PRESENT
invierei
invieresti
invierebbe
invieremmo
inviereste
invierebbero

PAST
avrei inviato
avresti inviato
avrebbe inviato
avremmo inviato
avreste inviato
avrebbero inviato

SUBJUNCTIVE

PRESENT
invii
invii
invii
inviamo
inviate
inviino

IMPERFECT
inviassi
inviassi
inviasse
inviassimo
inviaste
inviassero

PAST PERFECT
avessi inviato
avessi inviato
avesse inviato
avessimo inviato
aveste inviato
avessero inviato

PAST
abbia inviato etc
see page 25

PRESENT INFINITIVE
inviare

PAST INFINITIVE
aver(e) inviato

GERUND
inviando

PAST PARTICIPLE
inviato

IMPERATIVE
invia
invii
inviamo
inviate
inviino

LAGNARSI to complain, to moan, to groan

INDICATIVE

PRESENT
mi lagno
ti lagni
si lagna
ci lagniamo
vi lagnate
si lagnano

FUTURE
mi lagnerò
ti lagnerai
si lagnerà
ci lagneremo
vi lagnerete
si lagneranno

IMPERFECT
mi lagnavo
ti lagnavi
si lagnava
ci lagnavamo
vi lagnavate
si lagnavano

PASSATO REMOTO
mi lagnai
ti lagnasti
si lagnò
ci lagnammo
vi lagnaste
si lagnarono

PASSATO PROSSIMO
mi sono lagnato/a
ti sei lagnato/a
si è lagnato/a
ci siamo lagnati/e
vi siete lagnati/e
si sono lagnati/e

PAST PERFECT
mi ero lagnato/a
ti eri lagnato/a
si era lagnato/a
ci eravamo lagnati/e
vi eravate lagnati/e
si erano lagnati/e

PAST ANTERIOR
mi fui lagnato/a etc
see page 93

FUTURE PERFECT
mi sarò lagnato/a etc
see page 93

CONDITIONAL

PRESENT
mi lagnerei
ti lagneresti
si lagnerebbe
ci lagneremmo
vi lagnereste
si lagnerebbero

PAST
mi sarei lagnato/a
ti saresti lagnato/a
si sarebbe lagnato/a
ci saremmo lagnati/e
vi sareste lagnati/e
si sarebbero lagnati/e

SUBJUNCTIVE

PRESENT
mi lagni
ti lagni
si lagni
ci lagniamo
vi lagniate
si lagnino

IMPERFECT
mi lagnassi
ti lagnassi
si lagnasse
ci lagnassimo
vi lagnaste
si lagnassero

PAST PERFECT
mi fossi lagnato/a
ti fossi lagnato/a
si fosse lagnato/a
ci fossimo lagnati/e
vi foste lagnati/e
si fossero lagnati/e

PASSATO PROSSIMO
mi sia lagnato/a etc
see page 93

PRESENT INFINITIVE
lagnarsi

PAST INFINITIVE
essersi lagnato/a/i/e

GERUND
lagnandomi etc

PAST PARTICIPLE
lagnato/a/i/e

IMPERATIVE

lagnati
si lagni
lagniamoci
lagnatevi
si lagnino

INDICATIVE

PRESENT
lascio
lasci
lascia
lasciamo
lasciate
lasciano

FUTURE
lascerò
lascerai
lascerà
lasceremo
lascerete
lasceranno

IMPERFECT
lasciavo
lasciavi
lasciava
lasciavamo
lasciavate
lasciavano

PASSATO REMOTO
lasciai
lasciasti
lasciò
lasciammo
lasciaste
lasciarono

PASSATO PROSSIMO
ho lasciato
hai lasciato
ha lasciato
abbiamo lasciato
avete lasciato
hanno lasciato

PAST PERFECT
avevo lasciato
avevi lasciato
aveva lasciato
avevamo lasciato
avevate lasciato
avevano lasciato

PAST ANTERIOR
ebbi lasciato etc
see page 25

FUTURE PERFECT
avrò lasciato etc
see page 25

CONDITIONAL

PRESENT
lascerei
lasceresti
lascerebbe
lasceremmo
lascereste
lascerebbero

PAST
avrei lasciato
avresti lasciato
avrebbe lasciato
avremmo lasciato
avreste lasciato
avrebbero lasciato

IMPERATIVE

lascia
lasci
lasciamo
lasciate
lascino

SUBJUNCTIVE

PRESENT
lasci
lasci
lasci
lasciamo
lasciate
lascino

IMPERFECT
lasciassi
lasciassi
lasciasse
lasciassimo
lasciaste
lasciassero

PAST PERFECT
avessi lasciato
avessi lasciato
avesse lasciato
avessimo lasciato
aveste lasciato
avessero lasciato

PASSATO PROSSIMO
abbia lasciato etc
see page 25

PRESENT INFINITIVE
lasciare

PAST INFINITIVE
aver(e) lasciato

GERUND
lasciando

PAST PARTICIPLE
lasciato

INDICATIVE

PRESENT
mi lavo
ti lavi
si lava
ci laviamo
vi lavate
si lavano

FUTURE
mi laverò
ti laverai
si laverà
ci laveremo
vi laverete
si laveranno

IMPERFECT
mi lavavo
ti lavavi
si lavava
ci lavavamo
vi lavavate
si lavavano

PASSATO REMOTO
mi lavai
ti lavasti
si lavò
ci lavammo
vi lavaste
si lavarono

PASSATO PROSSIMO
mi sono lavato/a
ti sei lavato/a
si è lavato/a
ci siamo lavati/e
vi siete lavati/e
si sono lavati/e

PAST PERFECT
mi ero lavato/a
ti eri lavato/a
si era lavato/a
ci eravamo lavati/e
vi eravate lavati/e
si erano lavati/e

PAST ANTERIOR
mi fui lavato/a etc
see page 93

FUTURE PERFECT
mi sarò lavato/a etc
see page 93

CONDITIONAL

PRESENT
mi laverei
ti laveresti
si laverebbe
ci laveremmo
vi lavereste
si laverebbero

PAST
mi sarei lavato/a
ti saresti lavato/a
si sarebbe lavato/a
ci saremmo lavati/e
vi sareste lavati/e
si sarebbero lavati/e

SUBJUNCTIVE

PRESENT
mi lavi
ti lavi
si lavi
ci laviamo
vi laviate
si lavino

IMPERFECT
mi lavassi
ti lavassi
si lavasse
ci lavassimo
vi lavaste
si lavassero

PAST PERFECT
mi fossi lavato/a
ti fossi lavato/a
si fosse lavato/a
ci fossimo lavati/e
vi foste lavati/e
si fossero lavati/e

PASSATO PROSSIMO
mi sia lavato/a etc
see page 93

PRESENT INFINITIVE
lavarsi

PAST INFINITIVE
essersi lavato/a/i/e

GERUND
lavandomi etc

PAST PARTICIPLE
lavato/a/i/e

IMPERATIVE

lavati
si lavi
laviamoci
lavatevi
si lavino

INDICATIVE

PRESENT
ledo
ledi
lede
lediamo
ledete
ledono

FUTURE
lederò
lederai
lederà
lederemo
lederete
lederanno

IMPERFECT
ledevo
ledevi
ledeva
ledevamo
ledevate
ledevano

PASSATO REMOTO
lesi
ledesti
lese
ledemmo
ledeste
lesero

PASSATO PROSSIMO
ho leso
hai leso
ha leso
abbiamo leso
avete leso
hanno leso

PAST PERFECT
avevo leso
avevi leso
aveva leso
avevamo leso
avevate leso
avevano leso

PAST ANTERIOR
ebbi leso etc
see page 25

FUTURE PERFECT
avrò leso etc
see page 25

CONDITIONAL

PRESENT
lederei
lederesti
lederebbe
lederemmo
ledereste
lederebbero

PAST
avrei leso
avresti leso
avrebbe leso
avremmo leso
avreste leso
avrebbero leso

SUBJUNCTIVE

PRESENT
leda
leda
leda
lediamo
lediate
ledano

IMPERFECT
ledessi
ledessi
ledesse
ledessimo
ledeste
ledessero

PAST PERFECT
avessi leso
avessi leso
avesse leso
avessimo leso
aveste leso
avessero leso

PASSATO PROSSIMO
abbia leso etc
see page 25

PRESENT INFINITIVE
ledere

PAST INFINITIVE
aver(e) leso

GERUND
ledendo

PAST PARTICIPLE
leso

IMPERATIVE

ledi
leda
lediamo
ledete
ledano

LEGGERE to read

INDICATIVE

PRESENT
leggo
leggi
legge
leggiamo
leggete
leggono

FUTURE
leggerò
leggerai
leggerà
leggeremo
leggerete
leggeranno

IMPERFECT
leggevo
leggevi
leggeva
leggevamo
leggevate
leggevano

PASSATO REMOTO
lessi
leggesti
lesse
leggemmo
leggeste
lessero

PASSATO PROSSIMO
ho letto
hai letto
ha letto
abbiamo letto
avete letto
hanno letto

PAST PERFECT
avevo letto
avevi letto
aveva letto
avevamo letto
avevate letto
avevano letto

PAST ANTERIOR
ebbi letto etc
see page 25

FUTURE PERFECT
avrò letto etc
see page 25

CONDITIONAL

PRESENT
leggerei
leggeresti
leggerebbe
leggeremmo
leggereste
leggerebbero

PAST
avrei letto
avresti letto
avrebbe letto
avremmo letto
avreste letto
avrebbero letto

SUBJUNCTIVE

PRESENT
legga
legga
legga
leggiamo
leggiate
leggano

IMPERFECT
leggessi
leggessi
leggesse
leggessimo
leggeste
leggessero

PAST PERFECT
avessi letto
avessi letto
avesse letto
avessimo letto
aveste letto
avessero letto

PASSATO PROSSIMO
abbia letto etc
see page 25

PRESENT INFINITIVE
leggere

PAST INFINITIVE
aver(e) letto

GERUND
leggendo

PAST PARTICIPLE
letto

IMPERATIVE

leggi
legga
leggiamo
leggete
leggano

INDICATIVE

PRESENT
mando
mandi
manda
mandiamo
mandate
mandano

FUTURE
manderò
manderai
manderà
manderemo
manderete
manderanno

IMPERFECT
mandavo
mandavi
mandava
mandavamo
mandavate
mandavano

PASSATO REMOTO
mandai
mandasti
mandò
mandammo
mandaste
mandarono

PASSATO PROSSIMO
ho mandato
hai mandato
ha mandato
abbiamo mandato
avete mandato
hanno mandato

PAST PERFECT
avevo mandato
avevi mandato
aveva mandato
avevamo mandato
avevate mandato
avevano mandato

PAST ANTERIOR
ebbi mandato etc
see page 25

FUTURE PERFECT
avrò mandato etc
see page 25

CONDITIONAL

PRESENT
manderei
manderesti
manderebbe
manderemmo
mandereste
manderebbero

PAST
avrei mandato
avresti mandato
avrebbe mandato
avremmo mandato
avreste mandato
avrebbero mandato

SUBJUNCTIVE

PRESENT
mandi
mandi
mandi
mandiamo
mandiate
mandino

IMPERFECT
mandassi
mandassi
mandasse
mandassimo
mandaste
mandassero

PAST PERFECT
avessi mandato
avessi mandato
avesse mandato
avessimo mandato
aveste mandato
avessero mandato

PASSATO PROSSIMO
abbia mandato etc
see page 25

PRESENT INFINITIVE
mandare

PAST INFINITIVE
aver(e) mandato

GERUND
mandando

PAST PARTICIPLE
mandato

IMPERATIVE
manda
mandi
mandiamo
mandate
mandino

MANGIARE to eat

INDICATIVE

PRESENT
mangio
mangi
mangia
mangiamo
mangiate
mangiano

FUTURE
mangerò
mangerai
mangerà
mangeremo
mangerete
mangeranno

IMPERFECT
mangiavo
mangiavi
mangiava
mangiavamo
mangiavate
mangiavano

PASSATO REMOTO
mangiai
mangiasti
mangiò
mangiammo
mangiaste
mangiarono

PASSATO PROSSIMO
ho mangiato
hai mangiato
ha mangiato
abbiamo mangiato
avete mangiato
hanno mangiato

PAST PERFECT
avevo mangiato
avevi mangiato
aveva mangiato
avevamo mangiato
avevate mangiato
avevano mangiato

PAST ANTERIOR
ebbi mangiato etc
see *page 25*

FUTURE PERFECT
avrò mangiato etc
see *page 25*

CONDITIONAL

PRESENT
mangerei
mangeresti
mangerebbe
mangeremmo
mangereste
mangerebbero

PAST
avrei mangiato
avresti mangiato
avrebbe mangiato
avremmo mangiato
avreste mangiato
avrebbero mangiato

SUBJUNCTIVE

PRESENT
mangi
mangi
mangi
mangiamo
mangiate
mangino

IMPERFECT
mangiassi
mangiassi
mangiasse
mangiassimo
mangiaste
mangiassero

PAST PERFECT
avessi mangiato
avessi mangiato
avesse mangiato
avessimo mangiato
aveste mangiato
avessero mangiato

PASSATO PROSSIMO
abbia mangiato etc
see *page 25*

PRESENT INFINITIVE
mangiare

PAST INFINITIVE
aver(e) mangiato

GERUND
mangiando

PAST PARTICIPLE
mangiato

IMPERATIVE

mangia
mangi
mangiamo
mangiate
mangino

MENTIRE to lie

INDICATIVE

PRESENT
mento/mentisco
menti/mentisci
mente/mentisce
mentiamo
mentite
mentono/mentiscono

FUTURE
mentirò
mentirai
mentirà
mentiremo
mentirete
mentiranno

IMPERFECT
mentivo
mentivi
mentiva
mentivamo
mentivate
mentivano

PASSATO REMOTO
mentii
mentisti
mentì
mentimmo
mentiste
mentirono

PASSATO PROSSIMO
ho mentito
hai mentito
ha mentito
abbiamo mentito
avete mentito
hanno mentito

PAST PERFECT
avevo mentito
avevi mentito
aveva mentito
avevamo mentito
avevate mentito
avevano mentito

PAST ANTERIOR
ebbi mentito etc
see page 25

FUTURE PERFECT
avrò mentito etc
see page 25

CONDITIONAL

PRESENT
mentirei
mentiresti
mentirebbe
mentiremmo
mentireste
mentirebbero

PAST
avrei mentito
avresti mentito
avrebbe mentito
avremmo mentito
avreste mentito
avrebbero mentito

SUBJUNCTIVE

PRESENT
menta/mentisca
menta/mentisca
menta/mentisca
mentiamo
mentiate
mentano/mentiscano

IMPERFECT
mentissi
mentissi
mentisse
mentissimo
mentiste
mentissero

PAST PERFECT
avessi mentito
avessi mentito
avesse mentito
avessimo mentito
aveste mentito
avessero mentito

PASSATO PROSSIMO
abbia mentito etc
see page 25

PRESENT INFINITIVE
mentire

PAST INFINITIVE
aver(e) mentito

GERUND
mentendo

PAST PARTICIPLE
mentito

IMPERATIVE
menti/mentisci
menta/mentisca
mentiamo
mentite
mentano/mentiscano

METTERE to put, to put on

INDICATIVE

PRESENT
metto
metti
mette
mettiamo
mettete
mettono

FUTURE
metterò
metterai
metterà
metteremo
metterete
metteranno

IMPERFECT
mettevo
mettevi
metteva
mettevamo
mettevate
mettevano

PASSATO REMOTO
misi
mettesti
mise
mettemmo
metteste
misero

PASSATO PROSSIMO
ho messo
hai messo
ha messo
abbiamo messo
avete messo
hanno messo

avevo messo
avevi messo
aveva messo
avevamo messo
avevate messo
avevano messo

PAST ANTERIOR
ebbi messo etc
see page 25

FUTURE PERFECT
avrò messo etc
see page 25

CONDITIONAL

PRESENT
metterei
metteresti
metterebbe
metteremmo
mettereste
metterebbero

PAST
avrei messo
avresti messo
avrebbe messo
avremmo messo
avreste messo
avrebbero messo

SUBJUNCTIVE

PRESENT
metta
metta
metta
mettiamo
mettiate
mettano

IMPERFECT
mettessi
mettessi
mettesse
mettessimo
metteste
mettessero

PAST PERFECT
avessi messo
avessi messo
avesse messo
avessimo messo
aveste messo
avessero messo

PASSATO PROSSIMO
abbia messo etc
see page 25

PRESENT INFINITIVE
mettere

PAST INFINITIVE
aver(e) messo

GERUND
mettendo

PAST PARTICIPLE
messo

IMPERATIVE

metti
metta
mettiamo
mettete
mettano

NOTES

1 MEANING

to put, to place, to set, to lay, to deposit; to put on; to install; to suppose

2 PHRASES AND IDIOMS

ho messo i soldi in tasca	I put the money into my pocket
stiamo mettendo a confronto le due proposte	we are comparing the two proposals
mi hanno messo/a a sedere accanto al fuoco	they seated me by the fire
hanno deciso di metter su casa	they've decided to set up house together
abbiamo messo insieme un po' di denaro	we have put a bit of money together
metti via i tuoi libri	put your books away
hai messo il sale nella minestra?	have you put salt in the soup?
devo mettere gli occhiali	I must put my glasses on
questa lunga passeggiata mi ha messo fame	this long walk has made me hungry
abbiamo messo dei soldi in banca	we have put some money in the bank
mettiamo che lei vada via	supposing she goes away
questo problema mi mette in ansia	this problem worries me
dobbiamo mettere avanti l'orologio	we must put the clock forward
i miei fratelli hanno messo su un negozio	my brothers have set up a shop
ho messo le scarpe sotto il letto	I put the shoes under the bed
non farti mettere sotto!	don't let them get the better of you!
si è messo a lavorare	he started working

MORDERE to bite

INDICATIVE

PRESENT
mordo
mordi
morde
mordiamo
mordete
mordono

PASSATO REMOTO
morsi
mordesti
morse
mordemmo
mordeste
morsero

PAST ANTERIOR
ebbi morso etc
see page 25

FUTURE
morderò
morderai
morderà
morderemo
morderete
morderanno

PASSATO PROSSIMO
ho morso
hai morso
ha morso
abbiamo morso
avete morso
hanno morso

IMPERFECT
mordevo
mordevi
mordeva
mordevamo
mordevate
mordevano

PAST PERFECT
avevo morso
avevi morso
aveva morso
avevamo morso
avevate morso
avevano morso

FUTURE PERFECT
avrò morso etc
see page 25

CONDITIONAL

PRESENT
morderei
morderesti
morderebbe
morderemmo
mordereste
morderebbero

PAST
avrei morso
avresti morso
avrebbe morso
avremmo morso
avreste morso
avrebbero morso

SUBJUNCTIVE

PRESENT
morda
morda
morda
mordiamo
mordiate
mordano

IMPERFECT
mordessi
mordessi
mordesse
mordessimo
mordeste
mordessero

PAST PERFECT
avessi morso
avessi morso
avesse morso
avessimo morso
aveste morso
avessero morso

PASSATO PROSSIMO
abbia morso etc
see page 25

PRESENT INFINITIVE
mordere

PAST INFINITIVE
aver(e) morso

GERUND
mordendo

PAST PARTICIPLE
morso

IMPERATIVE

mordi
morda
mordiamo
mordete
mordano

INDICATIVE

PRESENT
muoio
muori
muore
moriamo
morite
muoiono

FUTURE
morirò
morirai
morirà
moriremo
morirete
moriranno

IMPERFECT
morivo
morivi
moriva
morivamo
morivate
morivano

PASSATO REMOTO
morii
moristi
morì
morimmo
moriste
morirono

PASSATO PROSSIMO
sono morto/a
sei morto/a
è morto/a
siamo morti/e
siete morti/e
sono morti/e

PAST PERFECT
ero morto/a
eri morto/a
era morto/a
eravamo morti/e
eravate morti/e
erano morti/e

PAST ANTERIOR
fui morto/a etc
see page 93

FUTURE PERFECT
sarò morto/a etc
see page 93

CONDITIONAL

PRESENT
morirei
moriresti
morirebbe
moriremmo
morireste
morirebbero

PAST
sarei morto/a
saresti morto/a
sarebbe morto/a
saremmo morti/e
sareste morti/e
sarebbero morti/e

SUBJUNCTIVE

PRESENT
muoia
muoia
muoia
moriamo
moriate
muoiano

IMPERFECT
morissi
morissi
morisse
morissimo
moriste
morissero

PAST PERFECT
fossi morto/a
fossi morto/a
fosse morto/a
fossimo morti/e
foste morti/e
fossero morti/e

PASSATO PROSSIMO
sia morto/a etc
see page 93

PRESENT INFINITIVE
morire

PAST INFINITIVE
esser(e) morto/a/i/e

GERUND
morendo

PAST PARTICIPLE
morto/a/i/e

IMPERATIVE

muori
muoia
muoriamo
morite
muioano

INDICATIVE

PRESENT
mostro
mostri
mostra
mostriamo
mostrate
mostrano

FUTURE
mostrerò
mostrerai
mostrerà
mostreremo
mostrerete
mostreranno

IMPERFECT
mostravo
mostravi
mostrava
mostravamo
mostravate
mostravano

PASSATO REMOTO
mostrai
mostrasti
mostrò
mostrammo
mostraste
mostrarono

PASSATO PROSSIMO
ho mostrato
hai mostrato
ha mostrato
abbiamo mostrato
avete mostrato
hanno mostrato

PAST PERFECT
avevo mostrato
avevi mostrato
aveva mostrato
avevamo mostrato
avevate mostrato
avevano mostrato

PAST ANTERIOR
ebbi mostrato etc
see page 25

FUTURE PERFECT
avrò mostrato etc
see page 25

CONDITIONAL

PRESENT
mostrerei
mostreresti
mostrerebbe
mostreremmo
mostrereste
mostrerebbero

PAST
avrei mostrato
avresti mostrato
avrebbe mostrato
avremmo mostrato
avreste mostrato
avrebbero mostrato

SUBJUNCTIVE

PRESENT
mostri
mostri
mostri
mostriamo
mostriate
mostrino

IMPERFECT
mostrassi
mostrassi
mostrasse
mostrassimo
mostraste
mostrassero

PAST PERFECT
avessi mostrato
avessi mostrato
avesse mostrato
avessimo mostrato
aveste mostrato
avessero mostrato

PASSATO PROSSIMO
abbia mostrato etc
see page 25

PRESENT INFINITIVE
mostrare

PAST INFINITIVE
aver(e) mostrato

GERUND
mostrando

PAST PARTICIPLE
mostrato

IMPERATIVE

mostra
mostri
mostriamo
mostrate
mostrino

INDICATIVE

PRESENT
muovo
muovi
muove
m(u)oviamo
m(u)ovete
muovono

FUTURE
moverò
moverai
moverà
moveremo
moverete
moveranno

IMPERFECT
movevo
movevi
moveva
movevamo
movevate
movevano

PASSATO REMOTO
mossi
movesti
mosse
movemmo
moveste
mossero

PASSATO PROSSIMO
ho mosso
hai mosso
ha mosso
abbiamo mosso
avete mosso
hanno mosso

PAST PERFECT
avevo mosso
avevi mosso
aveva mosso
avevamo mosso
avevate mosso
avevano mosso

PAST ANTERIOR
ebbi mosso etc
see page 25

FUTURE PERFECT
avrò mosso etc
see page 25

CONDITIONAL

PRESENT
moverei
moveresti
moverebbe
moveremmo
movereste
moverebbero

PAST
avrei mosso
avresti mosso
avrebbe mosso
avremmo mosso
avreste mosso
avrebbero mosso

SUBJUNCTIVE

PRESENT
muova
muova
muova
moviamo
moviate
muovano

IMPERFECT
movessi
movessi
movesse
movessimo
moveste
movessero

PAST PERFECT
avessi mosso
avessi mosso
avesse mosso
avessimo mosso
aveste mosso
avessero mosso

PASSATO PROSSIMO
abbia mosso etc
see page 25

PRESENT INFINITIVE
muovere

PAST INFINITIVE
aver(e) mosso

GERUND
muovendo or movendo

PAST PARTICIPLE
mosso

IMPERATIVE
muovi
muova
moviamo
movete
muovano

Note: when used intransitively **muovere** takes **essere** as its auxiliary; where a version with **u** is shown, this version is more common

NASCERE to be born

INDICATIVE

PRESENT
nasco
nasci
nasce
nasciamo
nascete
nascono

FUTURE
nascerò
nascerai
nascerà
nasceremo
nascerete
nasceranno

IMPERFECT
nascevo
nascevi
nasceva
nascevamo
nascevate
nascevano

PASSATO REMOTO
nacqui
nascesti
nacque
nascemmo
nasceste
nacquero

PASSATO PROSSIMO
sono nato/a
sei nato/a
è nato/a
siamo nati/e
siete nati/e
sono nati/e

PAST PERFECT
ero nato/a
eri nato/a
era nato/a
eravamo nati/e
eravate nati/e
erano nati/e

PAST ANTERIOR
fui nato/a etc
see page 93

FUTURE PERFECT
sarò nato/a etc
see page 93

CONDITIONAL

PRESENT
nascerei
nasceresti
nascerebbe
nasceremmo
nascereste
nascerebbero

PAST
sarei nato/a
saresti nato/a
sarebbe nato/a
saremmo nati/e
sareste nati/e
sarebbero nati/e

SUBJUNCTIVE

PRESENT
nasca
nasca
nasca
nasciamo
nasciate
nascano

IMPERFECT
nascessi
nascessi
nascesse
nascessimo
nasceste
nascessero

PAST PERFECT
fossi nato/a
fossi nato/a
fosse nato/a
fossimo nati/e
foste nati/e
fossero nati/e

PASSATO PROSSIMO
sia nato/a etc
see page 93

PRESENT INFINITIVE
nascere

PAST INFINITIVE
esser(e) nato/a/i/e

GERUND
nascendo

PAST PARTICIPLE
nato/a/i/e

IMPERATIVE

nasci
nasca
nasciamo
nascete
nascano

INDICATIVE

PRESENT
nascondo
nascondi
nasconde
nascondiamo
nascondete
nascondono

FUTURE
nasconderò
nasconderai
nasconderà
nasconderemo
nasconderete
nasconderanno

IMPERFECT
nascondevo
nascondevi
nascondeva
nascondevamo
nascondevate
nascondevano

PASSATO REMOTO
nascosi
nascondesti
nascose
nascondemmo
nascondeste
nascosero

PASSATO PROSSIMO
ho nascosto
hai nascosto
ha nascosto
abbiamo nascosto
avete nascosto
hanno nascosto

PAST PERFECT
avevo nascosto
avevi nascosto
aveva nascosto
avevamo nascosto
avevate nascosto
avevano nascosto

PAST ANTERIOR
ebbi nascosto etc
see page 25

FUTURE PERFECT
avrò nascosto etc
see page 25

CONDITIONAL

PRESENT
nasconderei
nasconderesti
nasconderebbe
nasconderemmo
nascondereste
nasconderebbero

PAST
avrei nascosto
avresti nascosto
avrebbe nascosto
avremmo nascosto
avreste nascosto
avrebbero nascosto

SUBJUNCTIVE

PRESENT
nasconda
nasconda
nasconda
nascondiamo
nascondiate
nascondano

IMPERFECT
nascondessi
nascondessi
nascondesse
nascondessimo
nascondeste
nascondessero

PAST PERFECT
avessi nascosto
avessi nascosto
avesse nascosto
avessimo nascosto
aveste nascosto
avessero nascosto

PASSATO PROSSIMO
abbia nascosto etc
see page 25

PRESENT INFINITIVE
nascondere

PAST INFINITIVE
aver(e) nascosto

GERUND
nascondendo

PAST PARTICIPLE
nascosto

IMPERATIVE

nascondi
nasconda
nascondiamo
nascondete
nascondano

NEVICARE to snow

INDICATIVE

PRESENT

nevica

FUTURE

nevicherà

IMPERFECT

nevicava

PASSATO REMOTO

nevicò

PASSATO PROSSIMO

è nevicato

PAST PERFECT

era nevicato

PAST ANTERIOR
fu nevicato

FUTURE PERFECT
sarà nevicato

CONDITIONAL

PRESENT

nevicherebbe

PAST

sarebbe nevicato

SUBJUNCTIVE

PRESENT

nevichi

IMPERFECT

nevicasse

PAST PERFECT

fosse nevicato

PASSATO PROSSIMO
sia nevicato

PRESENT INFINITIVE
nevicare

PAST INFINITIVE
esser(e) nevicato

GERUND
nevicando

PAST PARTICIPLE
nevicato

IMPERATIVE

Note: **avere** might be heard as the auxiliary, but **essere** is more correct

INDICATIVE

PRESENT
n(u)occio
nuoci
nuoce
n(u)ociamo
n(u)ocete
n(u)occiono

PASSATO REMOTO
nocqui
nocesti
nocque
nocemmo
noceste
nocquero

PAST ANTERIOR
ebbi nociuto etc
see page 25

FUTURE
n(u)ocerò
n(u)ocerai
n(u)ocerà
n(u)oceremo
n(u)ocerete
n(u)oceranno

PASSATO PROSSIMO
ho nociuto
hai nociuto
ha nociuto
abbiamo nociuto
avete nociuto
hanno nociuto

IMPERFECT
n(u)ocevo
n(u)ocevi
n(u)oceva
n(u)ocevamo
n(u)ocevate
n(u)ocevano

PAST PERFECT
avevo nociuto
avevi nociuto
aveva nociuto
avevamo nociuto
avevate nociuto
avevano nociuto

FUTURE PERFECT
avrò nociuto etc
see page 25

CONDITIONAL

PRESENT
n(u)ocerei
n(u)oceresti
n(u)ocerebbe
n(u)oceremmo
n(u)ocereste
n(u)ocerebbero

PAST
avrei nociuto
avresti nociuto
avrebbe nociuto
avremmo nociuto
avreste nociuto
avrebbero nociuto

IMPERATIVE
nuoci
n(u)occia
nociamo
nocete
n(u)occiano

SUBJUNCTIVE

PRESENT
n(u)occia
noccia
noccia
nociamo
nociate
n(u)occiano

IMPERFECT
n(u)ocessi
n(u)ocessi
n(u)ocesse
n(u)ocessimo
n(u)oceste
n(u)ocessero

PAST PERFECT
avessi nociuto
avessi nociuto
avesse nociuto
avessimo nociuto
aveste nociuto
avessero nociuto

PASSATO PROSSIMO
abbia nociuto etc
see page 25

PRESENT INFINITIVE
nuocere

PAST INFINITIVE
aver(e) nociuto

GERUND
n(u)ocendo

PAST PARTICIPLE
nociuto

Note: the variant with the **u** is more common

OFFENDERE to offend

INDICATIVE

PRESENT
offendo
offendi
offende
offendiamo
offendete
offendono

FUTURE
offenderò
offenderai
offenderà
offenderemo
offenderete
offenderanno

IMPERFECT
offendevo
offendevi
offendeva
offendevamo
offendevate
offendevano

PASSATO REMOTO
offesi
offendesti
offese
offendemmo
offendeste
offesero

PASSATO PROSSIMO
ho offeso
hai offeso
ha offeso
abbiamo offeso
avete offeso
hanno offeso

PAST PERFECT
avevo offeso
avevi offeso
aveva offeso
avevamo offeso
avevate offeso
avevano offeso

PAST ANTERIOR
ebbi offeso etc
see page 25

FUTURE PERFECT
avrò offeso etc
see page 25

CONDITIONAL

PRESENT
offenderei
offenderesti
offenderebbe
offenderemmo
offendereste
offenderebbero

PAST
avrei offeso
avresti offeso
avrebbe offeso
avremmo offeso
avreste offeso
avrebbero offeso

SUBJUNCTIVE

PRESENT
offenda
offenda
offenda
offendiamo
offendiate
offendano

IMPERFECT
offendessi
offendessi
offendesse
offendessimo
offendeste
offendessero

PAST PERFECT
avessi offeso
avessi offeso
avesse offeso
avessimo offeso
aveste offeso
avessero offeso

PASSATO PROSSIMO
abbia offeso etc
see page 25

PRESENT INFINITIVE
offendere

PAST INFINITIVE
aver(e) offeso

GERUND
offendendo

PAST PARTICIPLE
offeso

IMPERATIVE

offendi
offenda
offendiamo
offendete
offendano

INDICATIVE

PRESENT
offro
offri
offre
offriamo
offrite
offrono

FUTURE
offrirò
offrirai
offrirà
offriremo
offrirete
offriranno

IMPERFECT
offrivo
offrivi
offriva
offrivamo
offrivate
offrivano

PASSATO REMOTO
offrii/offersi
offristi
offrì/offerse
offrimmo
offriste
offrirono/offersero

PASSATO PROSSIMO
ho offerto
hai offerto
ha offerto
abbiamo offerto
avete offerto
hanno offerto

PAST PERFECT
avevo offerto
avevi offerto
aveva offerto
avevamo offerto
avevate offerto
avevano offerto

PAST ANTERIOR
ebbi offerto etc
see page 25

FUTURE PERFECT
avrò offerto etc
see page 25

CONDITIONAL

PRESENT
offrirei
offriresti
offrirebbe
offriremmo
offrireste
offrirebbero

PAST
avrei offerto
avresti offerto
avrebbe offerto
avremmo offerto
avreste offerto
avrebbero offerto

SUBJUNCTIVE

PRESENT
offra
offra
offra
offriamo
offriate
offrano

IMPERFECT
offrissi
offrissi
offrisse
offrissimo
offriste
offrissero

PAST PERFECT
avessi offerto
avessi offerto
avesse offerto
avessimo offerto
aveste offerto
avessero offerto

PASSATO PROSSIMO
abbia offerto etc
see page 25

PRESENT INFINITIVE
offrire

PAST INFINITIVE
aver(e) offerto

GERUND
offrendo

PAST PARTICIPLE
offerto

IMPERATIVE

offri
offra
offriamo
offrite
offrano

PAGARE to pay

INDICATIVE

PRESENT
pago
paghi
paga
paghiamo
pagate
pagano

FUTURE
pagherò
pagherai
pagherà
pagheremo
pagherete
pagheranno

IMPERFECT
pagavo
pagavi
pagava
pagavamo
pagavate
pagavano

PASSATO REMOTO
pagai
pagasti
pagò
pagammo
pagaste
pagarono

PASSATO PROSSIMO
ho pagato
hai pagato
ha pagato
abbiamo pagato
avete pagato
hanno pagato

PAST PERFECT
avevo pagato
avevi pagato
aveva pagato
avevamo pagato
avevate pagato
avevano pagato

PAST ANTERIOR
ebbi pagato etc
see *page* 25

FUTURE PERFECT
avrò pagato etc
see *page* 25

CONDITIONAL

PRESENT
pagherei
pagheresti
pagherebbe
pagheremmo
paghereste
pagherebbero

PAST
avrei pagato
avresti pagato
avrebbe pagato
avremmo pagato
avreste pagato
avrebbero pagato

SUBJUNCTIVE

PRESENT
paghi
paghi
paghi
paghiamo
paghiate
paghino

IMPERFECT
pagassi
pagassi
pagasse
pagassimo
pagaste
pagassero

PAST PERFECT
avessi pagato
avessi pagato
avesse pagato
avessimo pagato
aveste pagato
avessero pagato

PASSATO PROSSIMO
abbia pagato etc
see *page* 25

PRESENT INFINITIVE
pagare

PAST INFINITIVE
aver(e) pagato

GERUND
pagando

PAST PARTICIPLE
pagato

IMPERATIVE
paga
paghi
paghiamo
pagate
paghino

NOTES

1 MEANING

to pay, to pay for, to buy

2 CONSTRUCTIONS WITH PREPOSITIONS

pagare qualcosa a qualcuno	to stand/to buy someone something

3 PHRASES AND IDIOMS

abbiamo pagato 100.000 lire di acconto	we've paid 100,000 lire on account
pagherò in anticipo	I will pay in advance
pagheranno in contanti	they will pay cash
posso pagare a rate?	can I pay by instalments?
pago io da bere	I'll buy the drinks
mi hanno pagato una cena	they stood me a dinner
l'ho pagato caro	I paid a high price for it
mi hanno fatto pagare un occhio della testa	they made me pay through the nose
ho dovuto pagarlo a peso d'oro	I had to pay the earth for it
te la farò pagare cara	I'll make you pay dearly for it
mi hanno fatto pagare diecimila lire	they charged me ten thousand lire

PARAGONARE to compare

INDICATIVE

PRESENT
paragono
paragoni
paragona
paragoniamo
paragonate
paragonano

PASSATO REMOTO
paragonai
paragonasti
paragonò
paragonammo
paragonaste
paragonarono

PAST ANTERIOR
ebbi paragonato etc
see page 25

FUTURE
paragonerò
paragonerai
paragonerà
paragoneremo
paragonerete
paragoneranno

PASSATO PROSSIMO
ho paragonato
hai paragonato
ha paragonato
abbiamo paragonato
avete paragonato
hanno paragonato

IMPERFECT
paragonavo
paragonavi
paragonava
paragonavamo
paragonavate
paragonavano

PAST PERFECT
avevo paragonato
avevi paragonato
aveva paragonato
avevamo paragonato
avevate paragonato
avevano paragonato

FUTURE PERFECT
avrò paragonato etc
see page 25

CONDITIONAL

PRESENT
paragonerei
paragoneresti
paragonerebbe
paragoneremmo
paragonereste
paragonerebbero

PAST
avrei paragonato
avresti paragonato
avrebbe paragonato
avremmo paragonato
avreste paragonato
avrebbero paragonato

IMPERATIVE
paragona
paragoni
paragoniamo
paragonate
paragonino

SUBJUNCTIVE

PRESENT
paragoni
paragoni
paragoni
paragoniamo
paragoniate
paragonino

IMPERFECT
paragonassi
paragonassi
paragonasse
paragonassimo
paragonaste
paragonassero

PAST PERFECT
avessi paragonato
avessi paragonato
avesse paragonato
avessimo paragonato
aveste paragonato
avessero paragonato

PASSATO PROSSIMO
abbia paragonato etc
see page 25

PRESENT INFINITIVE
paragonare

PAST INFINITIVE
aver(e) paragonato

GERUND
paragonando

PAST PARTICIPLE
paragonato

INDICATIVE

PRESENT
paio
pari
pare
paiamo
parete
paiono

FUTURE
parrò
parrai
parrà
parremo
parrete
parranno

IMPERFECT
parevo
parevi
pareva
parevamo
parevate
parevano

PASSATO REMOTO
parvi/parsi
paresti
parve/parse
paremmo
pareste
parvero/parsero

PASSATO PROSSIMO
sono parso/a
sei parso/a
è parso/a
siamo parsi/e
siete parsi/e
sono parsi/e

PAST PERFECT
ero parso/a
eri parso/a
era parso/a
eravamo parsi/e
eravate parsi/e
erano parsi/e

PAST ANTERIOR
fui parso/a etc
see page 93

FUTURE PERFECT
sarò parso/a etc
see page 93

CONDITIONAL

PRESENT
parrei
parresti
parrebbe
parremmo
parreste
parrebbero

PAST
sarei parso/a
saresti parso/a
sarebbe parso/a
saremmo parsi/e
sareste parsi/e
sarebbero parsi/e

SUBJUNCTIVE

PRESENT
paia
paia
paia
paiamo
paiate
paiano

IMPERFECT
paressi
paressi
paresse
paressimo
pareste
paressero

PAST PERFECT
fossi parso/a
fossi parso/a
fosse parso/a
fossimo parsi/e
foste parsi/e
fossero parsi/e

PASSATO PROSSIMO
sia parso/a etc
see page 93

PRESENT INFINITIVE
parere

PAST INFINITIVE
esser(e) parso/a/i/e

GERUND
parendo

PAST PARTICIPLE
parso/a/i/e

IMPERATIVE

Note: **parere** is most commonly used in impersonal constructions followed by **di** + infinitive, eg **mi pare di aver scritto molto** "I seem to have written a lot"

PARLARE to speak, to talk

INDICATIVE

PRESENT
parlo
parli
parla
parliamo
parlate
parlano

PASSATO REMOTO
parlai
parlasti
parlò
parlammo
parlaste
parlarono

PAST ANTERIOR
ebbi parlato etc
see page 25

FUTURE
parlerò
parlerai
parlerà
parleremo
parlerete
parleranno

PASSATO PROSSIMO
ho parlato
hai parlato
ha parlato
abbiamo parlato
avete parlato
hanno parlato

IMPERFECT
parlavo
parlavi
parlava
parlavamo
parlavate
parlavano

PAST PERFECT
avevo parlato
avevi parlato
aveva parlato
avevamo parlato
avevate parlato
avevano parlato

FUTURE PERFECT
avrò parlato etc
see page 25

CONDITIONAL

PRESENT
parlerei
parleresti
parlerebbe
parleremmo
parlereste
parlerebbero

PAST
avrei parlato
avresti parlato
avrebbe parlato
avremmo parlato
avreste parlato
avrebbero parlato

IMPERATIVE
parla
parli
parliamo
parlate
parlino

SUBJUNCTIVE

PRESENT
parli
parli
parli
parliamo
parliate
parlino

IMPERFECT
parlassi
parlassi
parlasse
parlassimo
parlaste
parlassero

PAST PERFECT
avessi parlato
avessi parlato
avesse parlato
avessimo parlato
aveste parlato
avessero parlato

PASSATO PROSSIMO
abbia parlato etc
see page 25

PRESENT INFINITIVE
parlare

PAST INFINITIVE
aver(e) parlato

GERUND
parlando

PAST PARTICIPLE
parlato

INDICATIVE

PRESENT
parto
parti
parte
partiamo
partite
partono

FUTURE
partirò
partirai
partirà
partiremo
partirete
partiranno

IMPERFECT
partivo
partivi
partiva
partivamo
partivate
partivano

PASSATO REMOTO
partii
partisti
partì
partimmo
partiste
partirono

PASSATO PROSSIMO
sono partito/a
sei partito/a
è partito/a
siamo partiti/e
siete partiti/e
sono partiti/e

PAST PERFECT
ero partito/a
eri partito/a
era partito/a
eravamo partiti/e
eravate partiti/e
erano partiti/e

PAST ANTERIOR
fui partito/a etc
see page 93

FUTURE PERFECT
sarò partito/a etc
see page 93

CONDITIONAL

PRESENT
partirei
partiresti
partirebbe
partiremmo
partireste
partirebbero

PAST
sarei partito/a
saresti partito/a
sarebbe partito/a
saremmo partiti/e
sareste partiti/e
sarebbero partiti/e

SUBJUNCTIVE

PRESENT
parta
parta
parta
partiamo
partiate
partano

IMPERFECT
partissi
partissi
partisse
partissimo
partiste
partissero

PAST PERFECT
fossi partito/a
fossi partito/a
fosse partito/a
fossimo partiti/e
foste partiti/e
fossero partiti/e

PASSATO PROSSIMO
sia partito/a etc
see page 93

PRESENT INFINITIVE
partire

PAST INFINITIVE
esser(e) partito/a/i/e

GERUND
partendo

PAST PARTICIPLE
partito/a/i/e

IMPERATIVE
parti
parta
partiamo
partite
partano

PASSARE to pass (by)

INDICATIVE

PRESENT
passo
passi
passa
passiamo
passate
passano

PASSATO REMOTO
passai
passasti
passò
passammo
passaste
passarono

PAST ANTERIOR
fui passato/a etc
see page 93

FUTURE
passerò
passerai
passerà
passeremo
passerete
passeranno

PASSATO PROSSIMO
sono passato/a
sei passato/a
è passato/a
siamo passati/e
siete passati/e
sono passati/e

IMPERFECT
passavo
passavi
passava
passavamo
passavate
passavano

PAST PERFECT
ero passato/a
eri passato/a
era passato/a
eravamo passati/e
eravate passati/e
erano passati/e

FUTURE PERFECT
sarò passato/a etc
see page 93

CONDITIONAL

PRESENT
passerei
passeresti
passerebbe
passeremmo
passereste
passerebbero

PAST
sarei passato/a
saresti passato/a
sarebbe passato/a
saremmo passati/e
sareste passati/e
sarebbero passati/e

IMPERATIVE
passa
passi
passiamo
passate
passino

SUBJUNCTIVE

PRESENT
passi
passi
passi
passiamo
passiate
passino

IMPERFECT
passassi
passassi
passasse
passassimo
passaste
passassero

PAST PERFECT
fossi passato/a
fossi passato/a
fosse passato/a
fossimo passati/e
foste passati/e
fossero passati/e

PASSATO PROSSIMO
sia passato/a etc
see page 93

PRESENT INFINITIVE
passare

PAST INFINITIVE
esser(e) passato/a/i/e

GERUND
passando

PAST PARTICIPLE
passato/a/i/e

Note: when **passare** is used transitively, it takes **avere** as its auxiliary in compound tenses, eg **Maria mi ha passato il sale** "Maria passed me the salt"

PASSEGGIARE *to go for a walk*

INDICATIVE

PRESENT
passeggio
passeggi
passeggia
passeggiamo
passeggiate
passeggiano

FUTURE
passeggerò
passeggerai
passeggerà
passeggeremo
passeggerete
passeggeranno

IMPERFECT
passeggiavo
passeggiavi
passeggiava
passeggiavamo
passeggiavate
passeggiavano

PASSATO REMOTO
passeggiai
passeggiasti
passeggiò
passeggiammo
passeggiaste
passeggiarono

PASSATO PROSSIMO
ho passeggiato
hai passeggiato
ha passeggiato
abbiamo passeggiato
avete passeggiato
hanno passeggiato

PAST PERFECT
avevo passeggiato
avevi passeggiato
aveva passeggiato
avevamo passeggiato
avevate passeggiato
avevano passeggiato

PAST ANTERIOR
ebbi passeggiato etc
see page 25

FUTURE PERFECT
avrò passeggiato etc
see page 25

CONDITIONAL

PRESENT
passeggerei
passeggeresti
passeggerebbe
passeggeremmo
passeggereste
passeggerebbero

PAST
avrei passeggiato
avresti passeggiato
avrebbe passeggiato
avremmo passeggiato
avreste passeggiato
avrebbero passeggiato

SUBJUNCTIVE

PRESENT
passeggi
passeggi
passeggi
passeggiamo
passeggiate
passeggino

IMPERFECT
passeggiassi
passeggiassi
passeggiasse
passeggiassimo
passeggiaste
passeggiassero

PAST PERFECT
avessi passeggiato
avessi passeggiato
avesse passeggiato
avessimo passeggiato
aveste passeggiato
avessero passeggiato

PASSATO PROSSIMO
abbia passeggiato etc
see page 25

PRESENT INFINITIVE
passeggiare

PAST INFINITIVE
aver(e) passeggiato

GERUND
passeggiando

PAST PARTICIPLE
passeggiato

IMPERATIVE

passeggia
passeggi
passeggiamo
passeggiate
passeggino

PERDERE to lose

INDICATIVE

PRESENT
perdo
perdi
perde
perdiamo
perdete
perdono

FUTURE
perderò
perderai
perderà
perderemo
perderete
perderanno

IMPERFECT
perdevo
perdevi
perdeva
perdevamo
perdevate
perdevano

PASSATO REMOTO
persi
perdesti
perse
perdemmo
perdeste
persero

PASSATO PROSSIMO
ho perduto/perso
hai perduto/perso
ha perduto/perso
abbiamo perduto/perso
avete perduto/perso
hanno perduto/perso

PAST PERFECT
avevo perduto/perso
avevi perduto/perso
aveva perduto/perso
avevamo perduto/perso
avevate perduto/perso
avevano perduto/perso

PAST ANTERIOR
ebbi perduto/perso etc
see *page* 25

FUTURE PERFECT
avrò perduto/perso etc
see *page* 25

CONDITIONAL

PRESENT
perderei
perderesti
perderebbe
perderemmo
perdereste
perderebbero

PAST
avrei perduto/perso
avresti perduto/perso
avrebbe perduto/perso
avremmo perduto/perso
avreste perduto/perso
avrebbero perduto/perso

SUBJUNCTIVE

PRESENT
perda
perda
perda
perdiamo
perdiate
perdano

IMPERFECT
perdessi
perdessi
perdesse
perdessimo
perdeste
perdessero

PAST PERFECT
avessi perduto/perso
avessi perduto/perso
avesse perduto/perso
avessimo perduto/perso
aveste perduto/perso
avessero perduto/perso

PASSATO PROSSIMO
abbia perduto/perso etc
see *page* 25

PRESENT INFINITIVE
perdere

PAST INFINITIVE
aver(e) perduto/perso

GERUND
perdendo

PAST PARTICIPLE
perduto *or* perso

IMPERATIVE

perdi
perda
perdiamo
perdete
perdano

Note: **perdere** has two past participles which are interchangeable

PERSUADERE to persuade

INDICATIVE

PRESENT
persuado
persuadi
persuade
persuadiamo
persuadete
persuadono

PASSATO REMOTO
persuasi
persuadesti
persuase
persuademmo
persuadeste
persuasero

PAST ANTERIOR
ebbi persuaso etc
see page 25

FUTURE
persuaderò
persuaderai
persuaderà
persuaderemo
persuaderete
persuaderanno

PASSATO PROSSIMO
ho persuaso
hai persuaso
ha persuaso
abbiamo persuaso
avete persuaso
hanno persuaso

IMPERFECT
persuadevo
persuadevi
persuadeva
persuadevamo
persuadevate
persuadevano

PAST PERFECT
avevo persuaso
avevi persuaso
aveva persuaso
avevamo persuaso
avevate persuaso
avevano persuaso

FUTURE PERFECT
avrò persuaso etc
see page 25

CONDITIONAL

PRESENT
persuaderei
persuaderesti
persuaderebbe
persuaderemmo
persuadereste
persuaderebbero

PAST
avrei persuaso
avresti persuaso
avrebbe persuaso
avremmo persuaso
avreste persuaso
avrebbero persuaso

IMPERATIVE
persuadi
persuada
persuadiamo
persuadete
persuadano

SUBJUNCTIVE

PRESENT
persuada
persuada
persuada
persuadiamo
persuadiate
persuadano

IMPERFECT
persuadessi
persuadessi
persuadesse
persuadessimo
persuadeste
persuadessero

PAST PERFECT
avessi persuaso
avessi persuaso
avesse persuaso
avessimo persuaso
aveste persuaso
avessero persuaso

PASSATO PROSSIMO
abbia persuaso etc
see page 25

PRESENT INFINITIVE
persuadere

PAST INFINITIVE
aver(e) persuaso

GERUND
persuadendo

PAST PARTICIPLE
persuaso

PIACERE to please

INDICATIVE

PRESENT
piaccio
piaci
piace
piacciamo
piacete
piacciono

FUTURE
piacerò
piacerai
piacerà
piaceremo
piacerete
piaceranno

IMPERFECT
piacevo
piacevi
piaceva
piacevamo
piacevate
piacevano

PASSATO REMOTO
piacqui
piacesti
piacque
piacemmo
piaceste
piacquero

PASSATO PROSSIMO
sono piaciuto/a
sei piaciuto/a
è piaciuto/a
siamo piaciuti/e
siete piaciuti/e
sono piaciuti/e

PAST PERFECT
ero piaciuto/a
eri piaciuto/a
era piaciuto/a
eravamo piaciuti/e
eravate piaciuti/e
erano piaciuti/e

PAST ANTERIOR
fui piaciuto/a etc
see page 93

FUTURE PERFECT
sarò piaciuto/a etc
see page 93

CONDITIONAL

PRESENT
piacerei
piaceresti
piacerebbe
piaceremmo
piacereste
piacerebbero

PAST
sarei piaciuto/a
saresti piaciuto/a
sarebbe piaciuto/a
saremmo piaciuti/e
sareste piaciuti/e
sarebbero piaciuti/e

SUBJUNCTIVE

PRESENT
piaccia
piaccia
piaccia
piacciamo
piacciate
piacciano

IMPERFECT
piacessi
piacessi
piacesse
piacessimo
piaceste
piacessero

PAST PERFECT
fossi piaciuto/a
fossi piaciuto/a
fosse piaciuto/a
fossimo piaciuti/e
foste piaciuti/e
fossero piaciuti/e

PASSATO PROSSIMO
sia piaciuto/a etc
see page 93

PRESENT INFINITIVE
piacere

PAST INFINITIVE
esser(e) piaciuto/a/i/a/e

GERUND
piacendo

PAST PARTICIPLE
piaciuto/a/i/e

IMPERATIVE

Note: **piacere** is most often used impersonally in the third person singular and plural

NOTES

1 MEANING

to please, to like, to be fond of

2 CONSTRUCTIONS WITH PREPOSITIONS

Note that the construction with **piacere** is different from that of **amare**: what pleases is the subject, therefore the verb is always in the third person, singular or plural:

piacere a qualcuno	to please someone

3 PHRASES AND IDIOMS

mi piace la poesia	I am fond of poetry
ti piace andare in aereo?	do you like flying?
non mi piace il caldo	I don't like the heat
il nuovo film è piaciuto alla critica	the critics liked the new film
così mi piace	that's how I like it
piaccia a Dio	God willing
ti piaccia o non ti piaccia	whether you like it or not
mi piace di più + *noun or infinitive*	I prefer *(something/doing something)*
gli spaghetti sono buoni, ma il risotto mi piace di più	I like spaghetti, but I prefer risotto
cosa ti piacerebbe fare?	what would you like to do?

INDICATIVE

PRESENT
piango
piangi
piange
piangiamo
piangete
piangono

FUTURE
piangerò
piangerai
piangerà
piangeremo
piangerete
piangeranno

IMPERFECT
piangevo
piangevi
piangeva
piangevamo
piangevate
piangevano

PASSATO REMOTO
piansi
piangesti
pianse
piangemmo
piangeste
piansero

PASSATO PROSSIMO
ho pianto
hai pianto
ha pianto
abbiamo pianto
avete pianto
hanno pianto

PAST PERFECT
avevo pianto
avevi pianto
aveva pianto
avevamo pianto
avevate pianto
avevano pianto

PAST ANTERIOR
ebbi pianto etc
see page 25

FUTURE PERFECT
avrò pianto etc
see page 25

CONDITIONAL

PRESENT
piangerei
piangeresti
piangerebbe
piangeremmo
piangereste
piangerebbero

PAST
avrei pianto
avresti pianto
avrebbe pianto
avremmo pianto
avreste pianto
avrebbero pianto

SUBJUNCTIVE

PRESENT
piangerei
piangeresti
piangerebbe
piangeremmo
piangereste
piangerebbero

IMPERFECT
piangessi
piangessi
piangesse
piangessimo
piangeste
piangessero

PAST PERFECT
avessi pianto
avessi pianto
avesse pianto
avessimo pianto
aveste pianto
avessero pianto

PASSATO PROSSIMO
abbia pianto etc
see page 25

PRESENT INFINITIVE
piangere

PAST INFINITIVE
aver(e) pianto

GERUND
piangendo

PAST PARTICIPLE
pianto

IMPERATIVE

piangi
pianga
piangiamo
piangete
piangano

INDICATIVE

PRESENT

piove

FUTURE

pioverà

IMPERFECT

pioveva

PASSATO REMOTO

piovve

PASSATO PROSSIMO

è piovuto

PAST PERFECT

era piovuto

PAST ANTERIOR

fu piovuto

FUTURE PERFECT

sarà piovuto

CONDITIONAL

PRESENT

pioverebbe

PAST

sarebbe piovuto

SUBJUNCTIVE

PRESENT

piova

IMPERFECT

piovesse

PAST PERFECT

fosse piovuto

PASSATO PROSSIMO

sia piovuto

PRESENT INFINITIVE

piovere

PAST INFINITIVE

esser(e) piovuto

GERUND

piovendo

PAST PARTICIPLE

piovuto

IMPERATIVE

Note: **avere** can be used as the auxiliary but **essere** is more correct

INDICATIVE

PRESENT
pongo
poni
pone
poniamo
ponete
pongono

PASSATO REMOTO
posi
ponesti
pose
ponemmo
poneste
posero

PAST ANTERIOR
ebbi posto etc
see page 25

FUTURE
porrò
porrai
porrà
porremo
porrete
porranno

PASSATO PROSSIMO
ho posto
hai posto
ha posto
abbiamo posto
avete posto
hanno posto

IMPERFECT
ponevo
ponevi
poneva
ponevamo
ponevate
ponevano

PAST PERFECT
avevo posto
avevi posto
aveva posto
avevamo posto
avevate posto
avevano posto

FUTURE PERFECT
avrò posto etc
see page 25

CONDITIONAL

PRESENT
porrei
porresti
porrebbe
porremmo
porreste
porrebbero

PAST
avrei posto
avresti posto
avrebbe posto
avremmo posto
avreste posto
avrebbero posto

IMPERATIVE
poni
ponga
poniamo
ponete
pongano

SUBJUNCTIVE

PRESENT
ponga
ponga
ponga
poniamo
poniate
pongano

IMPERFECT
ponessi
ponessi
ponesse
ponessimo
poneste
ponessero

PAST PERFECT
avessi posto
avessi posto
avesse posto
avessimo posto
aveste posto
avessero posto

PASSATO PROSSIMO
abbia posto etc
see page 25

PRESENT INFINITIVE
porre

PAST INFINITIVE
aver(e) posto

GERUND
ponendo

PAST PARTICIPLE
posto

INDICATIVE

PRESENT
porto
porti
porta
portiamo
portate
portano

FUTURE
porterò
porterai
porterà
porteremo
porterete
porteranno

IMPERFECT
portavo
portavi
portava
portavamo
portavate
portavano

PASSATO REMOTO
portai
portasti
portò
portammo
portaste
portarono

PASSATO PROSSIMO
ho portato
hai portato
ha portato
abbiamo portato
avete portato
hanno portato

PAST PERFECT
avevo portato
avevi portato
aveva portato
avevamo portato
avevate portato
avevano portato

PAST ANTERIOR
ebbi portato etc
see *page* 25

FUTURE PERFECT
avrò portato etc
see *page* 25

CONDITIONAL

PRESENT
porterei
porteresti
porterebbe
porteremmo
portereste
porterebbero

PAST
avrei portato
avresti portato
avrebbe portato
avremmo portato
avreste portato
avrebbero portato

SUBJUNCTIVE

PRESENT
porti
porti
porti
portiamo
portiate
portino

IMPERFECT
portassi
portassi
portasse
portassimo
portaste
portassero

PAST PERFECT
avessi portato
avessi portato
avesse portato
avessimo portato
aveste portato
avessero portato

PASSATO PROSSIMO
abbia portato etc
see *page* 25

PRESENT INFINITIVE
portare

PAST INFINITIVE
aver(e) portato

GERUND
portando

PAST PARTICIPLE
portato

IMPERATIVE
porta
porti
portiamo
portate
portino

POTERE to be able to

INDICATIVE

PRESENT
posso
puoi
può
possiamo
potete
possono

FUTURE
potrò
potrai
potrà
potremo
potrete
potranno

IMPERFECT
potevo
potevi
poteva
potevamo
potevate
potevano

PASSATO REMOTO
potei/potetti
potesti
poté/potette
potemmo
poteste
poterono/potettero

PASSATO PROSSIMO
ho potuto
hai potuto
ha potuto
abbiamo potuto
avete potuto
hanno potuto

PAST PERFECT
avevo potuto
avevi potuto
aveva potuto
avevamo potuto
avevate potuto
avevano potuto

PAST ANTERIOR
ebbi potuto etc
see page 25

FUTURE PERFECT
avrò potuto etc
see page 25

CONDITIONAL

PRESENT
potrei
potresti
potrebbe
potremmo
potreste
potrebbero

PAST
avrei potuto
avresti potuto
avrebbe potuto
avremmo potuto
avreste potuto
avrebbero potuto

IMPERATIVE

SUBJUNCTIVE

PRESENT
possa
possa
possa
possiamo
possiate
possano

IMPERFECT
potessi
potessi
potesse
potessimo
poteste
potessero

PAST PERFECT
avessi potuto
avessi potuto
avesse potuto
avessimo potuto
aveste potuto
avessero potuto

PASSATO PROSSIMO
abbia potuto etc
see page 25

PRESENT INFINITIVE
potere

PAST INFINITIVE
aver(e) potuto

GERUND
potendo

PAST PARTICIPLE
potuto

NOTES

1 MEANING

to be able to, can, could, may, to be possible; to have influence

2 GRAMMATICAL INFORMATION

When used as a modal verb in compound tenses **potere** adopts as its auxiliary verb the auxiliary required by the infinitive it governs. When used by itself, **potere** takes **avere** as its auxiliary in compound tenses:

sono potuto/a arrivare in tempo	I was able to arrive in time
ho potuto leggere tutto il libro	I was able to read the whole book
non ho potuto comprarlo perché non avevo soldi	I couldn't buy it because I didn't have the money

3 PHRASES AND IDIOMS

questo potrebbe essere un po' difficile	this might be a little difficult
posso fumare?	may I smoke?
non puoi lagnarti	you can't complain
può darsi	maybe, perhaps
è partita appena ha potuto	she left as soon as she could
non ne potevo più	I couldn't stand it any longer
per quanto posso	as far as I can
puoi aver ragione	you may be right

PRANZARE to have lunch

INDICATIVE

PRESENT
pranzo
pranzi
pranza
pranziamo
pranzate
pranzano

FUTURE
pranzerò
pranzerai
pranzerà
pranzeremo
pranzerete
pranzeranno

IMPERFECT
pranzavo
pranzavi
pranzava
pranzavamo
pranzavate
pranzavano

PASSATO REMOTO
pranzai
pranzasti
pranzò
pranzammo
pranzaste
pranzarono

PASSATO PROSSIMO
ho pranzato
hai pranzato
ha pranzato
abbiamo pranzato
avete pranzato
hanno pranzato

PAST PERFECT
avevo pranzato
avevi pranzato
aveva pranzato
avevamo pranzato
avevate pranzato
avevano pranzato

PAST ANTERIOR
ebbi pranzato etc
see page 25

FUTURE PERFECT
avrò pranzato etc
see page 25

CONDITIONAL

PRESENT
pranzerei
pranzeresti
pranzerebbe
pranzeremmo
pranzereste
pranzerebbero

PAST
avrei pranzato
avresti pranzato
avrebbe pranzato
avremmo pranzato
avreste pranzato
avrebbero pranzato

SUBJUNCTIVE

PRESENT
pranzi
pranzi
pranzi
pranziamo
pranziate
pranzino

IMPERFECT
pranzassi
pranzassi
pranzasse
pranzassimo
pranzaste
pranzassero

PAST PERFECT
avessi pranzato
avessi pranzato
avesse pranzato
avessimo pranzato
aveste pranzato
avessero pranzato

PASSATO PROSSIMO
abbia pranzato etc
see page 25

PRESENT INFINITIVE
pranzare

PAST INFINITIVE
aver(e) pranzato

GERUND
pranzando

PAST PARTICIPLE
pranzato

IMPERATIVE

pranza
pranzi
pranziamo
pranzate
pranzino

INDICATIVE

PRESENT
preferisco
preferisci
preferisce
preferiamo
preferite
preferiscono

FUTURE
preferirò
preferirai
preferirà
preferiremo
preferirete
preferiranno

IMPERFECT
preferivo
preferivi
preferiva
preferivamo
preferivate
preferivano

PASSATO REMOTO
preferii
preferisti
preferì
preferimmo
preferiste
preferirono

PASSATO PROSSIMO
ho preferito
hai preferito
ha preferito
abbiamo preferito
avete preferito
hanno preferito

PAST PERFECT
avevo preferito
avevi preferito
aveva preferito
avevamo preferito
avevate preferito
avevano preferito

PAST ANTERIOR
ebbi preferito etc
see page 25

FUTURE PERFECT
avrò preferito etc
see page 25

CONDITIONAL

PRESENT
preferirei
preferiresti
preferirebbe
preferiremmo
preferireste
preferirebbero

PAST
avrei preferito
avresti preferito
avrebbe preferito
avremmo preferito
avreste preferito
avrebbero preferito

SUBJUNCTIVE

PRESENT
preferisca
preferisca
preferisca
preferiamo
preferiate
preferiscano

IMPERFECT
preferissi
preferissi
preferisse
preferissimo
preferiste
preferissero

PAST PERFECT
avessi preferito
avessi preferito
avesse preferito
avessimo preferito
aveste preferito
avessero preferito

PASSATO PROSSIMO
abbia preferito etc
see page 25

PRESENT INFINITIVE
preferire

PAST INFINITIVE
aver(e) preferito

GERUND
preferendo

PAST PARTICIPLE
preferito

IMPERATIVE
preferisci
preferisca
preferiamo
preferite
preferiscano

PRENDERE to take

INDICATIVE

PRESENT
prendo
prendi
prende
prendiamo
prendete
prendono

FUTURE
prenderò
prenderai
prenderà
prenderemo
prenderete
prenderanno

IMPERFECT
prendevo
prendevi
prendeva
prendevamo
prendevate
prendevano

PASSATO REMOTO
presi
prendesti
prese
prendemmo
prendeste
presero

PASSATO PROSSIMO
ho preso
hai preso
ha preso
abbiamo preso
avete preso
hanno preso

PAST PERFECT
avevo preso
avevi preso
aveva preso
avevamo preso
avevate preso
avevano preso

PAST ANTERIOR
ebbi preso etc
see page 25

FUTURE PERFECT
avrò preso etc
see page 25

CONDITIONAL

PRESENT
prenderei
prenderesti
prenderebbe
prenderemmo
prendereste
prenderebbero

PAST
avrei preso
avresti preso
avrebbe preso
avremmo preso
avreste preso
avrebbero preso

SUBJUNCTIVE

PRESENT
prenda
prenda
prenda
prendiamo
prendiate
prendano

IMPERFECT
prendessi
prendessi
prendesse
prendessimo
prendeste
prendessero

PAST PERFECT
avessi preso
avessi preso
avesse preso
avessimo preso
aveste preso
avessero preso

PASSATO PROSSIMO
abbia preso etc
see page 25

PRESENT INFINITIVE
prendere

PAST INFINITIVE
aver(e) preso

GERUND
prendendo

PAST PARTICIPLE
preso

IMPERATIVE

prendi
prenda
prendiamo
prendete
prendano

NOTES

1 MEANING

to take, to pick up, to grasp, to grip, to catch, to earn, to get

2 CONSTRUCTIONS WITH PREPOSITIONS

prendere a + *infinitive*	to start, to take to *(doing)*
prendere per qualcuno	to take for someone, to mistake for someone
prendere su	to pick up

3 PHRASES AND IDIOMS

prendi un caffè?	would you like a coffee?
ha preso il bambino in braccio	he/she took the child in his/her arms
bisogna prendere con le pinze quello che dice	one must treat what he says with caution
per chi mi prendi?	who do you take me for?
che cosa prendi?	what would you like? *(to eat, drink etc)*
ha preso l'abitudine di rientrare tardi la sera	he/she got into the habit of coming back late in the evening
vado a prenderlo adesso	I'm going to fetch him/it now
devi prendere Giuseppe con le buone	you must treat Giuseppe kindly
prendere con le cattive	to treat harshly
prendere o lasciare	take it or leave it
l'ho preso alla lettera	I took it literally
prendi Carla per mano	take Carla's hand
quest'idea sta prendendo piede	this idea is becoming fashionable
devo prendere il treno	I must catch the train
ho preso un raffreddore	I have caught a cold
hanno preso il ladro	they have caught the thief
Silvio prende un buono stipendio	Silvio earns a good salary
Nereo ha preso la laurea l'anno scorso	Nereo got his degree last year

PREPARARE to prepare

INDICATIVE

PRESENT
preparo
prepari
prepara
prepariamo
preparate
preparano

PASSATO REMOTO
preparai
preparasti
preparò
preparammo
preparaste
prepararono

PAST ANTERIOR
ebbi preparato etc
see page 25

FUTURE
preparerò
preparerai
preparerà
prepareremo
preparerete
prepareranno

PASSATO PROSSIMO
ho preparato
hai preparato
ha preparato
abbiamo preparato
avete preparato
hanno preparato

IMPERFECT
preparavo
preparavi
preparava
preparavamo
preparavate
preparavano

PAST PERFECT
avevo preparato
avevi preparato
aveva preparato
avevamo preparato
avevate preparato
avevano preparato

FUTURE PERFECT
avrò preparato etc
see page 25

CONDITIONAL

PRESENT
preparerei
prepareresti
preparerebbe
prepareremmo
preparereste
preparerebbero

PAST
avrei preparato
avresti preparato
avrebbe preparato
avremmo preparato
avreste preparato
avrebbero preparato

SUBJUNCTIVE

PRESENT
prepari
prepari
prepari
prepariamo
prepariate
preparino

IMPERFECT
preparassi
preparassi
preparasse
preparassimo
preparaste
preparassero

PAST PERFECT
avessi preparato
avessi preparato
avesse preparato
avessimo preparato
aveste preparato
avessero preparato

PASSATO PROSSIMO
abbia preparato etc
see page 25

PRESENT INFINITIVE
preparare

PAST INFINITIVE
aver(e) preparato

GERUND
preparando

PAST PARTICIPLE
preparato

IMPERATIVE

prepara
prepari
prepariamo
preparate
preparino

INDICATIVE

PRESENT
redigo
redigi
redige
redigiamo
redigete
redigono

FUTURE
redigerò
redigerai
redigerà
redigeremo
redigerete
redigeranno

IMPERFECT
redigevo
redigevi
redigeva
redigevamo
redigevate
redigevano

PASSATO REMOTO
redassi
redigesti
redasse
redigemmo
redigeste
redassero

PASSATO PROSSIMO
ho redatto
hai redatto
ha redatto
abbiamo redatto
avete redatto
hanno redatto

PAST PERFECT
avevo redatto
avevi redatto
aveva redatto
avevamo redatto
avevate redatto
avevano redatto

PAST ANTERIOR
ebbi redatto etc
see page 25

FUTURE PERFECT
avrò redatto etc
see page 25

CONDITIONAL

PRESENT
redigerei
redigeresti
redigerebbe
redigeremmo
redigereste
redigerebbero

PAST
avrei redatto
avresti redatto
avrebbe redatto
avremmo redatto
avreste redatto
avrebbero redatto

SUBJUNCTIVE

PRESENT
rediga
rediga
rediga
redigiamo
redigiate
redigano

IMPERFECT
redigessi
redigessi
redigesse
redigessimo
redigeste
redigessero

PAST PERFECT
avessi redatto
avessi redatto
avesse redatto
avessimo redatto
aveste redatto
avessero redatto

PASSATO PROSSIMO
abbia redatto etc
see page 25

PRESENT INFINITIVE
redigere

PAST INFINITIVE
aver(e) redatto

GERUND
redigendo

PAST PARTICIPLE
redatto

IMPERATIVE

redigi
rediga
redigiamo
redigete
redigano

RENDERE to give back, to return

INDICATIVE

PRESENT
rendo
rendi
rende
rendiamo
rendete
rendono

FUTURE
renderò
renderai
renderà
renderemo
renderete
renderanno

IMPERFECT
rendevo
rendevi
rendeva
rendevamo
rendevate
rendevano

PASSATO REMOTO
resi
rendesti
rese
rendemmo
rendeste
resero

PASSATO PROSSIMO
ho reso
hai reso
ha reso
abbiamo reso
avete reso
hanno reso

PAST PERFECT
avevo reso
avevi reso
aveva reso
avevamo reso
avevate reso
avevano reso

PAST ANTERIOR
ebbi reso etc
see page 25

FUTURE PERFECT
avrò reso etc
see page 25

CONDITIONAL

PRESENT
renderei
renderesti
renderebbe
renderemmo
rendereste
renderebbero

PAST
avrei reso
avresti reso
avrebbe reso
avremmo reso
avreste reso
avrebbero reso

SUBJUNCTIVE

PRESENT
renda
renda
renda
rendiamo
rendiate
rendano

IMPERFECT
rendessi
rendessi
rendesse
rendessimo
rendeste
rendessero

PAST PERFECT
avessi reso
avessi reso
avesse reso
avessimo reso
aveste reso
avessero reso

PASSATO PROSSIMO
abbia reso etc
see page 25

PRESENT INFINITIVE
rendere

PAST INFINITIVE
aver(e) reso

GERUND
rendendo

PAST PARTICIPLE
reso

IMPERATIVE

rendi
renda
rendiamo
rendete
rendano

NOTES

1 MEANING

to give back, to render, to return, to repay, to yield, to pay, to make, to produce

2 CONSTRUCTIONS WITH PREPOSITIONS

rendere qualcosa a qualcuno	to give something back to someone

3 GRAMMATICAL INFORMATION

A common application of **rendere** is in the construction **rendere** + *someone/something* + *adjective* = to make + *someone/something* + *adjective:*

gli ho reso il libro	I gave him back the book
la notizia l'ha reso infelice	the news has made him unhappy

4 PHRASES AND IDIOMS

rendimi il disco che ti ho prestato	give me back the record I lent you
ha reso l'anima a Dio	he/she has given up the ghost
rendo l'idea?	am I making myself clear?
l'ho reso in inglese	I have translated it into English
dobbiamo rendere conto di queste spese	we must give an account of these expenses
rendi merito a Renato del lavoro fatto	give Renato his due for the work he has done

RICEVERE to receive

INDICATIVE

PRESENT
ricevo
ricevi
riceve
riceviamo
ricevete
ricevono

FUTURE
riceverò
riceverai
riceverà
riceveremo
riceverete
riceveranno

IMPERFECT
ricevevo
ricevevi
riceveva
ricevevamo
ricevevate
ricevevano

PASSATO REMOTO
ricevei/ricevetti
ricevesti
ricevé/ricevette
ricevemmo
riceveste
riceverono/ricevettero

PASSATO PROSSIMO
ho ricevuto
hai ricevuto
ha ricevuto
abbiamo ricevuto
avete ricevuto
hanno ricevuto

PAST PERFECT
avevo ricevuto
avevi ricevuto
aveva ricevuto
avevamo ricevuto
avevate ricevuto
avevano ricevuto

PAST ANTERIOR
ebbi ricevuto etc
see page 25

FUTURE PERFECT
avrò ricevuto etc
see page 25

CONDITIONAL

PRESENT
riceverei
riceveresti
riceverebbe
riceveremmo
ricevereste
riceverebbero

PAST
avrei ricevuto
avresti ricevuto
avrebbe ricevuto
avremmo ricevuto
avreste ricevuto
avrebbero ricevuto

SUBJUNCTIVE

PRESENT
riceva
riceva
riceva
riceviamo
riceviate
ricevano

IMPERFECT
ricevessi
ricevessi
ricevesse
ricevessimo
riceveste
ricevessero

PAST PERFECT
avessi ricevuto
avessi ricevuto
avesse ricevuto
avessimo ricevuto
aveste ricevuto
avessero ricevuto

PASSATO PROSSIMO
abbia ricevuto etc
see page 25

PRESENT INFINITIVE
ricevere

PAST INFINITIVE
aver(e) ricevuto

GERUND
ricevendo

PAST PARTICIPLE
ricevuto

IMPERATIVE

ricevi
riceva
riceviamo
ricevete
ricevano

INDICATIVE

PRESENT
rido
ridi
ride
ridiamo
ridete
ridono

FUTURE
riderò
riderai
riderà
rideremo
riderete
rideranno

IMPERFECT
ridevo
ridevi
rideva
ridevamo
ridevate
ridevano

PASSATO REMOTO
risi
ridesti
rise
ridemmo
rideste
risero

PASSATO PROSSIMO
ho riso
hai riso
ha riso
abbiamo riso
avete riso
hanno riso

PAST PERFECT
avevo riso
avevi riso
aveva riso
avevamo riso
avevate riso
avevano riso

PAST ANTERIOR
ebbi riso etc
see page 25

FUTURE PERFECT
avrò riso etc
see page 25

CONDITIONAL

PRESENT
riderei
rideresti
riderebbe
rideremmo
ridereste
riderebbero

PAST
avrei riso
avresti riso
avrebbe riso
avremmo riso
avreste riso
avrebbero riso

SUBJUNCTIVE

PRESENT
rida
rida
rida
ridiamo
ridiate
ridano

IMPERFECT
ridessi
ridessi
ridesse
ridessimo
rideste
ridessero

PAST PERFECT
avessi riso
avessi riso
avesse riso
avessimo riso
aveste riso
avessero riso

PASSATO PROSSIMO
abbia riso etc
see page 25

PRESENT INFINITIVE
ridere

PAST INFINITIVE
aver(e) riso

GERUND
ridendo

PAST PARTICIPLE
riso

IMPERATIVE

ridi
rida
ridiamo
ridete
ridano

RIEMPIRE to fill

INDICATIVE

PRESENT
riempio
riempi
riempie
riempiamo
riempite
riempiono

FUTURE
riempirò
riempirai
riempirà
riempiremo
riempirete
riempiranno

IMPERFECT
riempivo
riempivi
riempiva
riempivamo
riempivate
riempivano

PASSATO REMOTO
riempii
riempisti
riempì
riempimmo
riempiste
riempirono

PASSATO PROSSIMO
ho riempito
hai riempito
ha riempito
abbiamo riempito
avete riempito
hanno riempito

PAST PERFECT
avevo riempito
avevi riempito
aveva riempito
avevamo riempito
avevate riempito
avevano riempito

PAST ANTERIOR
ebbi riempito etc
see page 25

FUTURE PERFECT
avrò riempito etc
see page 25

CONDITIONAL

PRESENT
riempirei
riempiresti
riempirebbe
riempiremmo
riempireste
riempirebbero

PAST
avrei riempito
avresti riempito
avrebbe riempito
avremmo riempito
avreste riempito
avrebbero riempito

SUBJUNCTIVE

PRESENT
riempia
riempia
riempia
riempiamo
riempiate
riempiano

IMPERFECT
riempissi
riempissi
riempisse
riempissimo
riempiste
riempissero

PAST PERFECT
avessi riempito
avessi riempito
avesse riempito
avessimo riempito
aveste riempito
avessero riempito

PASSATO PROSSIMO
abbia riempito etc
see page 25

PRESENT INFINITIVE
riempire

PAST INFINITIVE
aver(e) riempito

GERUND
riempiendo

PAST PARTICIPLE
riempito

IMPERATIVE

riempi
riempia
riempiamo
riempite
riempiano

RIFLETTERE to reflect, to reflect on

INDICATIVE

PRESENT
rifletto
rifletti
riflette
riflettiamo
riflettete
riflettono

FUTURE
rifletterò
rifletterai
rifletterà
rifletteremo
rifletterete
rifletteranno

IMPERFECT
riflettevo
riflettevi
rifletteva
riflettevamo
riflettevate
riflettevano

PASSATO REMOTO
riflessi/riflettei
riflettesti
riflesse/rifletté
riflettemmo
rifletteste
riflessero/rifletterono

PASSATO PROSSIMO
ho riflesso/riflettuto
hai riflesso/riflettuto
ha riflesso/riflettuto
abbiamo riflesso/riflettuto
avete riflesso/riflettuto
hanno riflesso/riflettuto

PAST PERFECT
avevo riflesso/riflettuto
avevi riflesso/riflettuto
aveva riflesso/riflettuto
avevamo riflesso/riflettuto
avevate riflesso/riflettuto
avevano riflesso/riflettuto

PAST ANTERIOR
ebbi riflesso/riflettuto etc
see page 25

FUTURE PERFECT
avrò riflesso/riflettuto
see page 25

CONDITIONAL

PRESENT
rifletterei
rifletteresti
rifletterebbe
rifletteremmo
riflettereste
rifletterebbero

PAST
avrei riflesso/riflettuto
avresti riflesso/riflettuto
avrebbe riflesso/riflettuto
avremmo riflesso/riflettuto
avreste riflesso/riflettuto
avrebbero riflesso/riflettuto

SUBJUNCTIVE

PRESENT
rifletta
rifletta
rifletta
riflettiamo
riflettiate
riflettano

IMPERFECT
riflettessi
riflettessi
riflettesse
riflettessimo
rifletteste
riflettessero

PAST PERFECT
avessi riflesso/riflettuto
avessi riflesso/riflettuto
avesse riflesso/riflettuto
avessimo riflesso/riflettuto
aveste riflesso/riflettuto
avessero riflesso/riflettuto

PASSATO PROSSIMO
abbia riflesso/riflettuto etc
see page 25

PRESENT INFINITIVE
riflettere

PAST INFINITIVE
aver(e) riflesso/riflettuto

GERUND
riflettendo

PAST PARTICIPLE
riflesso/riflettuto

IMPERATIVE

rifletti
rifletta
riflettiamo
riflettete
riflettano

Note: use the past participle **riflesso** when **riflettere** means "to reflect" of light etc,and **riflettuto** when it means "to reflect" as of thought

RIMANERE to remain

INDICATIVE

PRESENT
rimango
rimani
rimane
rimaniamo
rimanete
rimangono

FUTURE
rimarrò
rimarrai
rimarrà
rimarremo
rimarrete
rimarranno

IMPERFECT
rimanevo
rimanevi
rimaneva
rimanevamo
rimanevate
rimanevano

PASSATO REMOTO
rimasi
rimanesti
rimase
rimanemmo
rimaneste
rimasero

PASSATO PROSSIMO
sono rimasto/a
sei rimasto/a
è rimasto/a
siamo rimasti/e
siete rimasti/e
sono rimasti/e

PAST PERFECT
ero rimasto/a
eri rimasto/a
era rimasto/a
eravamo rimasti/e
eravate rimasti/e
erano rimasti/e

PAST ANTERIOR
fui rimasto/a etc
see page 25

FUTURE PERFECT
sarò rimasto/a etc
see page 25

CONDITIONAL

PRESENT
rimarrei
rimarresti
rimarrebbe
rimarremmo
rimarreste
rimarrebbero

PAST
sarei rimasto/a
saresti rimasto/a
sarebbe rimasto/a
saremmo rimasti/e
sareste rimasti/e
sarebbero rimasti/e

SUBJUNCTIVE

PRESENT
rimanga
rimanga
rimanga
rimaniamo
rimaniate
rimangano

IMPERFECT
rimanessi
rimanessi
rimanesse
rimanessimo
rimaneste
rimanessero

PAST PERFECT
fossi rimasto/a
fossi rimasto/a
fosse rimasto/a
fossimo rimasti/e
foste rimasti/e
fossero rimasti/e

PAST
sia rimasto/a etc
see page 25

PRESENT INFINITIVE
rimanere

PAST INFINITIVE
esser(e) rimasto/a/i/e

GERUND
rimanendo

PAST PARTICIPLE
rimasto/a/i/e

IMPERATIVE

rimani
rimanga
rimaniamo
rimanete
rimangano

RISOLVERE to solve

INDICATIVE

PRESENT
risolvo
risolvi
risolve
risolviamo
risolvete
risolvono

FUTURE
risolverò
risolverai
risolverà
risolveremo
risolverete
risolveranno

IMPERFECT
risolvevo
risolvevi
risolveva
risolvevamo
risolvevate
risolvevano

PASSATO REMOTO
risolsi/risolvei[1]
risolvesti
risolse/risolvé[2]
risolvemmo
risolveste
risolsero[3]

PASSATO PROSSIMO
ho risolto
hai risolto
ha risolto
abbiamo risolto
avete risolto
hanno risolto

PAST PERFECT
avevo risolto
avevi risolto
aveva risolto
avevamo risolto
avevate risolto
avevano risolto

PAST ANTERIOR
ebbi risolto etc
see page 25

FUTURE PERFECT
avrò risolto etc
see page 25

CONDITIONAL

PRESENT
risolverei
risolveresti
risolverebbe
risolveremmo
risolvereste
risolverebbero

PAST
avrei risolto
avresti risolto
avrebbe risolto
avremmo risolto
avreste risolto
avrebbero risolto

SUBJUNCTIVE

PRESENT
risolva
risolva
risolva
risolviamo
risolviate
risolvano

IMPERFECT
risolvessi
risolvessi
risolvesse
risolvessimo
risolveste
risolvessero

PAST PERFECT
avessi risolto
avessi risolto
avesse risolto
avessimo risolto
aveste risolto
avessero risolto

PASSATO PROSSIMO
abbia risolto etc
see page 25

PRESENT INFINITIVE
risolvere

PAST INFINITIVE
aver(e) risolto

GERUND
risolvendo

PAST PARTICIPLE
risolto

IMPERATIVE

risolvi
risolva
risolviamo
risolvete
risolvano

Note: [1] also **risolvetti**
[2] also **risolvette**
[3] also **risolverono** or **risolvettero**

RISPONDERE to reply, to answer

INDICATIVE

PRESENT
rispondo
rispondi
risponde
rispondiamo
rispondete
rispondono

FUTURE
risponderò
risponderai
risponderà
risponderemo
risponderete
risponderanno

IMPERFECT
rispondevo
rispondevi
rispondeva
rispondevamo
rispondevate
rispondevano

PASSATO REMOTO
risposi
rispondesti
rispose
rispondemmo
rispondeste
risposero

PASSATO PROSSIMO
ho risposto
hai risposto
ha risposto
abbiamo risposto
avete risposto
hanno risposto

PAST PERFECT
avevo risposto
avevi risposto
aveva risposto
avevamo risposto
avevate risposto
avevano risposto

PAST ANTERIOR
ebbi risposto etc
see *page* 25

FUTURE PERFECT
avrò risposto etc
see *page* 25

CONDITIONAL

PRESENT
risponderei
risponderesti
risponderebbe
risponderemmo
rispondereste
risponderebbero

PAST
avrei risposto
avresti risposto
avrebbe risposto
avremmo risposto
avreste risposto
avrebbero risposto

SUBJUNCTIVE

PRESENT
risponda
risponda
risponda
rispondiamo
rispondiate
rispondano

IMPERFECT
rispondessi
rispondessi
rispondesse
rispondessimo
rispondeste
rispondessero

PAST PERFECT
avessi risposto
avessi risposto
avesse risposto
avessimo risposto
aveste risposto
avessero risposto

PASSATO PROSSIMO
abbia risposto etc
see *page* 25

PRESENT INFINITIVE
rispondere

PAST INFINITIVE
aver(e) risposto

GERUND
rispondendo

PAST PARTICIPLE
risposto

IMPERATIVE

rispondi
risponda
rispondiamo
rispondete
rispondano

INDICATIVE

PRESENT
rodo
rodi
rode
rodiamo
rodete
rodono

FUTURE
roderò
roderai
roderà
roderemo
roderete
roderanno

IMPERFECT
rodevo
rodevi
rodeva
rodevamo
rodevate
rodevano

PASSATO REMOTO
rosi
rodesti
rose
rodemmo
rodeste
rosero

PASSATO PROSSIMO
ho roso
hai roso
ha roso
abbiamo roso
avete roso
hanno roso

PAST PERFECT
avevo roso
avevi roso
aveva roso
avevamo roso
avevate roso
avevano roso

PAST ANTERIOR
ebbi roso etc
see page 25

FUTURE PERFECT
avrò roso etc
see page 25

CONDITIONAL

PRESENT
roderei
roderesti
roderebbe
roderemmo
rodereste
roderebbero

PAST
avrei roso
avresti roso
avrebbe roso
avremmo roso
avreste roso
avrebbero roso

SUBJUNCTIVE

PRESENT
roda
roda
roda
rodiamo
rodiate
rodano

IMPERFECT
rodessi
rodessi
rodesse
rodessimo
rodeste
rodessero

PAST PERFECT
avessi roso
avessi roso
avesse roso
avessimo roso
aveste roso
avessero roso

PASSATO PROSSIMO
abbia roso etc
see page 25

PRESENT INFINITIVE
rodere

PAST INFINITIVE
aver(e) roso

GERUND
rodendo

PAST PARTICIPLE
roso

IMPERATIVE

rodi
roda
rodiamo
rodete
rodano

ROMPERE to break

INDICATIVE

PRESENT
rompo
rompi
rompe
rompiamo
rompete
rompono

FUTURE
romperò
romperai
romperà
romperemo
romperete
romperanno

IMPERFECT
rompevo
rompevi
rompeva
rompevamo
rompevate
rompevano

PASSATO REMOTO
ruppi
rompesti
ruppe
rompemmo
rompeste
ruppero

PASSATO PROSSIMO
ho rotto
hai rotto
ha rotto
abbiamo rotto
avete rotto
hanno rotto

PAST PERFECT
avevo rotto
avevi rotto
aveva rotto
avevamo rotto
avevate rotto
avevano rotto

PAST ANTERIOR
ebbi rotto etc
see page 25

FUTURE PERFECT
avrò rotto etc
see page 25

CONDITIONAL

PRESENT
romperei
romperesti
romperebbe
romperemmo
rompereste
romperebbero

PAST
avrei rotto
avresti rotto
avrebbe rotto
avremmo rotto
avreste rotto
avrebbero rotto

SUBJUNCTIVE

PRESENT
rompa
rompa
rompa
rompiamo
rompiate
rompano

IMPERFECT
rompessi
rompessi
rompesse
rompessimo
rompeste
rompessero

PAST PERFECT
avessi rotto
avessi rotto
avesse rotto
avessimo rotto
aveste rotto
avessero rotto

PASSATO PROSSIMO
abbia rotto etc
see page 25

PRESENT INFINITIVE
rompere

PAST INFINITIVE
aver(e) rotto

GERUND
rompendo

PAST PARTICIPLE
rotto

IMPERATIVE

rompi
rompa
rompiamo
rompete
rompano

INDICATIVE

PRESENT
salgo
sali
sale
saliamo
salite
salgono

FUTURE
salirò
salirai
salirà
saliremo
salirete
saliranno

IMPERFECT
salivo
salivi
saliva
salivamo
salivate
salivano

PASSATO REMOTO
salii
salisti
salì
salimmo
saliste
salirono

PASSATO PROSSIMO
sono salito/a
sei salito/a
è salito/a
siamo saliti/e
siete saliti/e
sono saliti/e

PAST PERFECT
ero salito/a
eri salito/a
era salito/a
eravamo saliti/e
eravate saliti/e
erano saliti/e

PAST ANTERIOR
fui salito/a etc
see page 93

FUTURE PERFECT
sarò salito/a etc
see page 93

CONDITIONAL

PRESENT
salirei
saliresti
salirebbe
saliremmo
salireste
salirebbero

PAST
sarei salito/a
saresti salito/a
sarebbe salito/a
saremmo saliti/e
sareste saliti/e
sarebbero saliti/e

SUBJUNCTIVE

PRESENT
salga
salga
salga
saliamo
saliate
salgano

IMPERFECT
salissi
salissi
salisse
salissimo
saliste
salissero

PAST PERFECT
fossi salito/a
fossi salito/a
fosse salito/a
fossimo saliti/e
foste saliti/e
fossero saliti/e

PASSATO PROSSIMO
sia salito/a etc
see page 93

PRESENT INFINITIVE
salire

PAST INFINITIVE
esser(e) salito/a/i/e

GERUND
salendo

PAST PARTICIPLE
salito/a/i/e

IMPERATIVE

sali
salga
saliamo
salite
salgano

Note: when **salire** is used transitively, it takes **avere** as its auxiliary in compound tenses, eg **hanno salito le scale al secondo piano** "they climbed/went up the stairs to the second floor"

SAPERE to know, to know how to

INDICATIVE

PRESENT
so
sai
sa
sappiamo
sapete
sanno

FUTURE
saprò
saprai
saprà
sapremo
saprete
sapranno

IMPERFECT
sapevo
sapevi
sapeva
sapevamo
sapevate
sapevano

PASSATO REMOTO
seppi
sapesti
seppe
sapemmo
sapeste
seppero

PASSATO PROSSIMO
ho saputo
hai saputo
ha saputo
abbiamo saputo
avete saputo
hanno saputo

PAST PERFECT
avevo saputo
avevi saputo
aveva saputo
avevamo saputo
avevate saputo
avevano saputo

PAST ANTERIOR
ebbi saputo etc
see page 25

FUTURE PERFECT
avrò saputo etc
see page 25

CONDITIONAL

PRESENT
saprei
sapresti
saprebbe
sapremmo
sapreste
saprebbero

PAST
avrei saputo
avresti saputo
avrebbe saputo
avremmo saputo
avreste saputo
avrebbero saputo

SUBJUNCTIVE

PRESENT
sappia
sappia
sappia
sappiamo
sappiate
sappiano

IMPERFECT
sapessi
sapessi
sapesse
sapessimo
sapeste
sapessero

PAST PERFECT
avessi saputo
avessi saputo
avesse saputo
avessimo saputo
aveste saputo
avessero saputo

PASSATO PROSSIMO
abbia saputo etc
see page 25

PRESENT INFINITIVE
sapere

PAST INFINITIVE
aver(e) saputo

GERUND
sapendo

PAST PARTICIPLE
saputo

IMPERATIVE

sappi
sappia
sappiamo
sappiate
sappiano

NOTES

1 MEANING

to know, to know how, to be able, to be aware of, to get to know, to feel, to taste, to have a taste of

Note that **sapere** means "to know a fact" or "to know how to" and that **conoscere** means "to know" when referring to people, places etc.

2 CONSTRUCTIONS WITH PREPOSITIONS

In most instances **sapere** acts in a fashion similar to modal auxiliary verbs, governing a dependent verb in its infinitive form. Where **sapere** is constructed with the preposition **di** it may be in the context of "to know something about something" or have the meaning of "taste of":

sai qualcosa di questo?	do you know something about this?
questo vino sa di aceto	this wine tastes of vinegar

3 PHRASES AND IDIOMS

sa parlare quattro lingue	he/she can speak four languages
ho saputo la notizia dalla radio	I got to know the news from the radio
a saperlo!	if only I knew!
che ne so io?	how should I know?
chi lo sa?	who knows?, who can tell?
Roberto sa tutte queste poesie a memoria	Roberto knows all these poems by heart

INDICATIVE

PRESENT
scelgo
scegli
sceglie
scegliamo
scegliete
scelgono

FUTURE
sceglierò
sceglierai
sceglierà
sceglieremo
sceglierete
sceglieranno

IMPERFECT
sceglievo
sceglievi
sceglieva
sceglievamo
sceglievate
sceglievano

PASSATO REMOTO
scelsi
scegliesti
scelse
scegliemmo
sceglieste
scelsero

PASSATO PROSSIMO
ho scelto
hai scelto
ha scelto
abbiamo scelto
avete scelto
hanno scelto

PAST PERFECT
avevo scelto
avevi scelto
aveva scelto
avevamo scelto
avevate scelto
avevano scelto

PAST ANTERIOR
ebbi scelto etc
see *page* 25

FUTURE PERFECT
avrò scelto etc
see *page* 25

CONDITIONAL

PRESENT
sceglierei
sceglieresti
sceglierebbe
sceglieremmo
scegliereste
sceglierebbero

PAST
avrei scelto
avresti scelto
avrebbe scelto
avremmo scelto
avreste scelto
avrebbero scelto

SUBJUNCTIVE

PRESENT
scelga
scelga
scelga
scegliamo
scegliate
scelgano

IMPERFECT
scegliessi
scegliessi
scegliesse
scegliessimo
sceglieste
scegliessero

PAST PERFECT
avessi scelto
avessi scelto
avesse scelto
avessimo scelto
aveste scelto
avessero scelto

PASSATO PROSSIMO
abbia scelto etc
see *page* 25

PRESENT INFINITIVE
scegliere

PAST INFINITIVE
aver(e) scelto

GERUND
scegliendo

PAST PARTICIPLE
scelto

IMPERATIVE

scegli
scelga
scegliamo
scegliete
scelgano

INDICATIVE

PRESENT
scendo
scendi
scende
scendiamo
scendete
scendono

FUTURE
scenderò
scenderai
scenderà
scenderemo
scenderete
scenderanno

IMPERFECT
scendevo
scendevi
scendeva
scendevamo
scendevate
scendevano

PASSATO REMOTO
scesi
scendesti
scese
scendemmo
scendeste
scesero

PASSATO PROSSIMO
sono sceso/a
sei sceso/a
è sceso/a
siamo scesi/e
siete scesi/e
sono scesi/e

PAST PERFECT
ero sceso/a
eri sceso/a
era sceso/a
eravamo scesi/e
eravate scesi/e
erano scesi/e

PAST ANTERIOR
fui sceso/a etc
see page 93

FUTURE PERFECT
sarò sceso/a etc
see page 93

CONDITIONAL

PRESENT
scenderei
scenderesti
scenderebbe
scenderemmo
scendereste
scenderebbero

PAST
sarei sceso/a
saresti sceso/a
sarebbe sceso/a
saremmo scesi/e
sareste scesi/e
sarebbero scesi/e

SUBJUNCTIVE

PRESENT
scenda
scenda
scenda
scendiamo
scendiate
scendano

IMPERFECT
scendessi
scendessi
scendesse
scendessimo
scendeste
scendessero

PAST PERFECT
fossi sceso/a
fossi sceso/a
fosse sceso/a
fossimo scesi/e
foste scesi/e
fossero scesi/e

PASSATO PROSSIMO
sia sceso/a etc
see page 93

PRESENT INFINITIVE
scendere

PAST INFINITIVE
esser(e) sceso/a/i/e

GERUND
scendendo

PAST PARTICIPLE
sceso/a/i/e

IMPERATIVE

scendi
scenda
scendiamo
scendete
scendano

Note: when **scendere** is used transitively, it takes **avere** as its auxiliary in compound tenses, eg **abbiamo sceso la montagna lentamente** "we came down the mountain slowly"

SCINDERE to split up

INDICATIVE

PRESENT
scindo
scindi
scinde
scindiamo
scindete
scindono

FUTURE
scinderò
scinderai
scinderà
scinderemo
scinderete
scinderanno

IMPERFECT
scindevo
scindevi
scindeva
scindevamo
scindevate
scindevano

PASSATO REMOTO
scissi
scindesti
scisse
scindemmo
scindeste
scissero

PASSATO PROSSIMO
ho scisso
hai scisso
ha scisso
abbiamo scisso
avete scisso
hanno scisso

PAST PERFECT
avevo scisso
avevi scisso
aveva scisso
avevamo scisso
avevate scisso
avevano scisso

PAST ANTERIOR
ebbi scisso etc
see page 25

FUTURE PERFECT
avrò scisso etc
see page 25

CONDITIONAL

PRESENT
scinderei
scinderesti
scinderebbe
scinderemmo
scindereste
scinderebbero

PAST
avrei scisso
avresti scisso
avrebbe scisso
avremmo scisso
avreste scisso
avrebbero scisso

SUBJUNCTIVE

PRESENT
scinda
scinda
scinda
scindiamo
scindiate
scindano

IMPERFECT
scindessi
scindessi
scindesse
scindessimo
scindeste
scindessero

PAST PERFECT
avessi scisso
avessi scisso
avesse scisso
avessimo scisso
aveste scisso
avessero scisso

PASSATO PROSSIMO
abbia scisso etc
see page 25

PRESENT INFINITIVE
scindere

PAST INFINITIVE
avere(e) scisso

GERUND
scindendo

PAST PARTICIPLE
scisso

IMPERATIVE
scindi
scinda
scindiamo
scindete
scindano

INDICATIVE

PRESENT
scrivo
scrivi
scrive
scriviamo
scrivete
scrivono

FUTURE
scriverò
scriverai
scriverà
scriveremo
scriverete
scriveranno

IMPERFECT
scrivevo
scrivevi
scriveva
scrivevamo
scrivevate
scrivevano

PASSATO REMOTO
scrissi
scrivesti
scrisse
scrivemmo
scriveste
scrissero

PASSATO PROSSIMO
ho scritto
hai scritto
ha scritto
abbiamo scritto
avete scritto
hanno scritto

PAST PERFECT
avevo scritto
avevi scritto
aveva scritto
avevamo scritto
avevate scritto
avevano scritto

PAST ANTERIOR
ebbi scritto etc
see page 25

FUTURE PERFECT
avrò scritto etc
see page 25

CONDITIONAL

PRESENT
scriverei
scriveresti
scriverebbe
scriveremmo
scrivereste
scriverebbero

PAST
avrei scritto
avresti scritto
avrebbe scritto
avremmo scritto
avreste scritto
avrebbero scritto

SUBJUNCTIVE

PRESENT
scriva
scriva
scriva
scriviamo
scriviate
scrivano

IMPERFECT
scrivessi
scrivessi
scrivesse
scrivessimo
scriveste
scrivessero

PAST PERFECT
avessi scritto
avessi scritto
avesse scritto
avessimo scritto
aveste scritto
avessero scritto

PASSATO PROSSIMO
abbia scritto etc
see page 25

PRESENT INFINITIVE
scrivere

PAST INFINITIVE
aver(e) scritto

GERUND
scrivendo

PAST PARTICIPLE
scritto

IMPERATIVE

scrivi
scriva
scriviamo
scrivete
scrivano

INDICATIVE

PRESENT
scuoto
scuoti
scuote
scuotiamo
scuotete
scuotono

FUTURE
scuoterò
scuoterai
scuoterà
scuoteremo
scuoterete
scuoteranno

IMPERFECT
scuotevo
scuotevi
scuoteva
scuotevamo
scuotevate
scuotevano

PASSATO REMOTO
scossi
scuotesti
scosse
scuotemmo
scuoteste
scossero

PASSATO PROSSIMO
ho scosso
hai scosso
ha scosso
abbiamo scosso
avete scosso
hanno scosso

PAST PERFECT
avevo scosso
avevi scosso
aveva scosso
avevamo scosso
avevate scosso
avevano scosso

PAST ANTERIOR
ebbi scosso etc
see page 25

FUTURE PERFECT
avrò scosso etc
see page 25

CONDITIONAL

PRESENT
scuoterei
scuoteresti
scuoterebbe
scuoteremmo
scuotereste
scuoterebbero

PAST
avrei scosso
avresti scosso
avrebbe scosso
avremmo scosso
avreste scosso
avrebbero scosso

IMPERATIVE
scuoti
scuota
scuotiamo
scuotete
scuotano

SUBJUNCTIVE

PRESENT
scuota
scuota
scuota
scuotiamo
scuotiate
scuotano

IMPERFECT
scuotessi
scuotessi
scuotesse
scuotessimo
scuoteste
scuotessero

PAST PERFECT
avessi scosso
avessi scosso
avesse scosso
avessimo scosso
aveste scosso
avessero scosso

PASSATO PROSSIMO
abbia scosso etc
see page 25

PRESENT INFINITIVE
scuotere

PAST INFINITIVE
aver(e) scosso

GERUND
scuotendo

PAST PARTICIPLE
scosso

INDICATIVE

PRESENT
mi siedo/seggo
ti siedi
si siede
ci sediamo
vi sedete
si siedono/seggono

FUTURE
mi sederò
ti sederai
si sederà
ci sederemo
vi sederete
si sederanno

IMPERFECT
mi sedevo
ti sedevi
si sedeva
ci sedevamo
vi sedevate
si sedevano

PASSATO REMOTO
mi sedei/sedetti
ti sedesti
si sedé/sedette
ci sedemmo
vi sedeste
si sederono/sedettero

PASSATO PROSSIMO
mi sono seduto/a
ti sei seduto/a
si è seduto/a
ci siamo seduti/e
vi siete seduti/e
si sono seduti/e

PAST PERFECT
mi ero seduto/a
ti eri seduto/a
si era seduto/a
ci eravamo seduti/e
vi eravate seduti/e
si erano seduti/e

PAST ANTERIOR
mi fui seduto/a etc
see page 93

FUTURE PERFECT
mi sarò seduto/a etc
see page 93

CONDITIONAL

PRESENT
mi sederei
ti sederesti
si sederebbe
ci sederemmo
vi sedereste
si sederebbero

PAST
mi sarei seduto/a
ti saresti seduto/a
si sarebbe seduto/a
ci saremmo seduti/e
vi sareste seduti/e
si sarebbero seduti/e

SUBJUNCTIVE

PRESENT
mi sieda/segga
ti sieda/segga
si sieda/segga
ci sediamo
vi sediate
si siedano/seggano

IMPERFECT
mi sedessi
ti sedessi
si sedesse
ci sedessimo
vi sedeste
si sedessero

PAST PERFECT
mi fossi seduto/a
ti fossi seduto/a
si fosse seduto/a
ci fossimo seduti/e
vi foste seduti/e
si fossero seduti/e

PASSATO PROSSIMO
mi sia seduto/a etc
see page 93

PRESENT INFINITIVE
sedersi

PAST INFINITIVE
essersi seduto/a/i/e

GERUND
sedendomi etc

PAST PARTICIPLE
seduto/a/i/e

IMPERATIVE

siediti
si sieda/segga
sediamoci
sedetevi
si siedano/seggano

SEGUIRE to follow

INDICATIVE

PRESENT
seguo
segui
segue
seguiamo
seguite
seguono

PASSATO REMOTO
seguii
seguisti
seguì
seguimmo
seguiste
seguirono

PAST ANTERIOR
ebbi seguito etc
see page 25

FUTURE
seguirò
seguirai
seguirà
seguiremo
seguirete
seguiranno

PASSATO PROSSIMO
ho seguito
hai seguito
ha seguito
abbiamo seguito
avete seguito
hanno seguito

IMPERFECT
seguivo
seguivi
seguiva
seguivamo
seguivate
seguivano

PAST PERFECT
avevo seguito
avevi seguito
aveva seguito
avevamo seguito
avevate seguito
avevano seguito

FUTURE PERFECT
avrò seguito etc
see page 25

CONDITIONAL

PRESENT
seguirei
seguiresti
seguirebbe
seguiremmo
seguireste
seguirebbero

PAST
avrei seguito
avresti seguito
avrebbe sseguito
avremmo seguito
avreste seguito
avrebbero seguito

IMPERATIVE

segui
segua
seguiamo
seguite
seguano

SUBJUNCTIVE

PRESENT
segua
segua
segua
seguiamo
seguiate
seguano

IMPERFECT
seguissi
seguissi
seguisse
seguissimo
seguiste
seguissero

PAST PERFECT
avessi seguito
avessi seguito
avesse seguito
avessimo seguito
aveste seguito
avessero seguito

PASSATO PROSSIMO
abbia seguito etc
see page 25

PRESENT INFINITIVE
seguire

PAST INFINITIVE
aver(e) seguito

GERUND
seguendo

PAST PARTICIPLE
seguito

SENTIRE to feel, to smell, to hear

INDICATIVE

PRESENT
sento
senti
sente
sentiamo
sentite
sentono

FUTURE
sentirò
sentirai
sentirà
sentiremo
sentirete
sentiranno

IMPERFECT
sentivo
sentivi
sentiva
sentivamo
sentivate
sentivano

PASSATO REMOTO
sentii
sentisti
sentì
sentimmo
sentiste
sentirono

PASSATO PROSSIMO
ho sentito
hai sentito
ha sentito
abbiamo sentito
avete sentito
hanno sentito

PAST PERFECT
avevo sentito
avevi sentito
aveva sentito
avevamo sentito
avevate sentito
avevano sentito

PAST ANTERIOR
ebbi sentito etc
see page 25

FUTURE PERFECT
avrò sentito etc
see page 25

CONDITIONAL

PRESENT
sentirei
sentiresti
sentirebbe
sentiremmo
sentireste
sentirebbero

PAST
avrei sentito
avresti sentito
avrebbe sentito
avremmo sentito
avreste sentito
avrebbero sentito

SUBJUNCTIVE

PRESENT
senta
senta
senta
sentiamo
sentiate
sentano

IMPERFECT
sentissi
sentissi
sentisse
sentissimo
sentiste
sentissero

PAST PERFECT
avessi sentito
avessi sentito
avesse sentito
avessimo sentito
aveste sentito
avessero sentito

PASSATO PROSSIMO
abbia sentito etc
see page 25

PRESENT INFINITIVE
sentire

PAST INFINITIVE
aver(e) sentito

GERUND
sentendo

PAST PARTICIPLE
sentito

IMPERATIVE
senti
senta
sentiamo
sentite
sentano

SPANDERE to spread

INDICATIVE

PRESENT
spando
spandi
spande
spandiamo
spandete
spandono

FUTURE
spanderò
spanderai
spanderà
spanderemo
spanderete
spanderanno

IMPERFECT
spandevo
spandevi
spandeva
spandevamo
spandevate
spandevano

PASSATO REMOTO
spandei
spandesti
spandé
spandemmo
spandeste
spanderono

PASSATO PROSSIMO
ho spanto
hai spanto
ha spanto
abbiamo spanto
avete spanto
hanno spanto

PAST PERFECT
avevo spanto
avevi spanto
aveva spanto
avevamo spanto
avevate spanto
avevano spanto

PAST ANTERIOR
ebbi spanto etc
see page 25

FUTURE PERFECT
avrò spanto etc
see page 25

CONDITIONAL

PRESENT
spanderei
spanderesti
spanderebbe
spanderemmo
spandereste
spanderebbero

PAST
avrei spanto
avresti spanto
avrebbe spanto
avremmo spanto
avreste spanto
avrebbero spanto

SUBJUNCTIVE

PRESENT
spanda
spanda
spanda
spandiamo
spandiate
spandano

IMPERFECT
spandessi
spandessi
spandesse
spandessimo
spandeste
spandessero

PAST PERFECT
avessi spanto
avessi spanto
avesse spanto
avessimo spanto
aveste spanto
avessero spanto

PASSATO PROSSIMO
abbia spanto etc
see page 25

PRESENT INFINITIVE
spandere

PAST INFINITIVE
aver(e) spanto

GERUND
spandendo

PAST PARTICIPLE
spanto

IMPERATIVE
spandi
spanda
spandiamo
spandete
spandano

INDICATIVE

PRESENT
spargo
spargi
sparge
spargiamo
spargete
spargono

PASSATO REMOTO
sparsi
spargesti
sparse
spargemmo
spargeste
sparsero

PAST ANTERIOR
ebbi sparso etc
see page 25

FUTURE
spargerò
spargerai
spargerà
spargeremo
spargerete
spargeranno

PASSATO PROSSIMO
ho sparso
hai sparso
ha sparso
abbiamo sparso
avete sparso
hanno sparso

IMPERFECT
spargevo
spargevi
spargeva
spargevamo
spargevate
spargevano

PAST PERFECT
avevo sparso
avevi sparso
aveva sparso
avevamo sparso
avevate sparso
avevano sparso

FUTURE PERFECT
avrò sparso etc
see page 25

CONDITIONAL

PRESENT
spargerei
spargeresti
spargerebbe
spargeremmo
spargereste
spargerebbero

PAST
avrei sparso
avresti sparso
avrebbe sparso
avremmo sparso
avreste sparso
avrebbero sparso

IMPERATIVE

spargi
sparga
spargiamo
spargete
spargano

SUBJUNCTIVE

PRESENT
sparga
sparga
sparga
spargiamo
spargiate
spargano

IMPERFECT
spargessi
spargessi
spargesse
spargessimo
spargeste
spargessero

PAST PERFECT
avessi sparso
avessi sparso
avesse sparso
avessimo sparso
aveste sparso
avessero sparso

PASSATO PROSSIMO
abbia sparso etc
see page 25

PRESENT INFINITIVE
spargere

PAST INFINITIVE
aver(e) sparso

GERUND
spargendo

PAST PARTICIPLE
sparso

SPEGNERE to put out

INDICATIVE

PRESENT
spengo
spegni
spegne
spegniamo
spegnete
spengono

FUTURE
spegnerò
spegnerai
spegnerà
spegneremo
spegnerete
spegneranno

IMPERFECT
spegnevo
spegnevi
spegneva
spegnevamo
spegnevate
spegnevano

PASSATO REMOTO
spensi
spegnesti
spense
spegnemmo
spegneste
spensero

PASSATO PROSSIMO
ho spento
hai spento
ha spento
abbiamo spento
avete spento
hanno spento

PAST PERFECT
avevo spento
avevi spento
aveva spento
avevamo spento
avevate spento
avevano spento

PAST ANTERIOR
ebbi spento etc
see page 25

FUTURE PERFECT
avrò spento etc
see page 25

CONDITIONAL

PRESENT
spegnerei
spegneresti
spegnerebbe
spegneremmo
spegnereste
spegnerebbero

PAST
avrei spento
avresti spento
avrebbe spento
avremmo spento
avreste spento
avrebbero spento

SUBJUNCTIVE

PRESENT
spenga
spenga
spenga
spegniamo
spegniate
spengano

IMPERFECT
spegnessi
spegnessi
spegnesse
spegnessimo
spegneste
spegnessero

PAST PERFECT
avessi spento
avessi spento
avesse spento
avessimo spento
aveste spento
avessero spento

PASSATO PROSSIMO
abbia spento etc
see page 25

PRESENT INFINITIVE
spegnere

PAST INFINITIVE
aver(e) spento

GERUND
spegnendo

PAST PARTICIPLE
spento

IMPERATIVE

spegni
spenga
spegniamo
spegnete
spengano

SPENDERE to spend

INDICATIVE

PRESENT
spendo
spendi
spende
spendiamo
spendete
spendono

FUTURE
spenderò
spenderai
spenderà
spenderemo
spenderete
spenderanno

IMPERFECT
spendevo
spendevi
spendeva
spendevamo
spendevate
spendevano

PASSATO REMOTO
spesi
spendesti
spese
spendemmo
spendeste
spesero

PASSATO PROSSIMO
ho speso
hai speso
ha speso
abbiamo speso
avete speso
hanno speso

PAST PERFECT
avevo speso
avevi speso
aveva speso
avevamo speso
avevate speso
avevano speso

PAST ANTERIOR
ebbi speso etc
see page 25

FUTURE PERFECT
avrò speso etc
see page 25

CONDITIONAL

PRESENT
spenderei
spenderesti
spenderebbe
spenderemmo
spendereste
spenderebbero

PAST
avrei speso
avresti speso
avrebbe speso
avremmo speso
avreste speso
avrebbero speso

SUBJUNCTIVE

PRESENT
spenda
spenda
spenda
spendiamo
spendiate
spendano

IMPERFECT
spendessi
spendessi
spendesse
spendessimo
spendeste
spendessero

PAST PERFECT
avessi speso
avessi speso
avesse speso
avessimo speso
aveste speso
avessero speso

PASSATO PROSSIMO
abbia speso etc
see page 25

PRESENT INFINITIVE
spendere

PAST INFINITIVE
aver(e) speso

GERUND
spendendo

PAST PARTICIPLE
speso

IMPERATIVE
spendi
spenda
spendiamo
spendete
spendano

SPINGERE to push

INDICATIVE

PRESENT
spingo
spingi
spinge
spingiamo
spingete
spingono

FUTURE
spingerò
spingerai
spingerà
spingeremo
spingerete
spingeranno

IMPERFECT
spingevo
spingevi
spingeva
spingevamo
spingevate
spingevano

PASSATO REMOTO
spinsi
spingesti
spinse
spingemmo
spingeste
spinsero

PASSATO PROSSIMO
ho spinto
hai spinto
ha spinto
abbiamo spinto
avete spinto
hanno spinto

PAST PERFECT
avevo spinto
avevi spinto
aveva spinto
avevamo spinto
avevate spinto
avevano spinto

PAST ANTERIOR
ebbi spinto etc
see page 25

FUTURE PERFECT
avrò spinto etc
see page 25

CONDITIONAL

PRESENT
spingerei
spingeresti
spingerebbe
spingeremmo
spingereste
spingerebbero

PAST
avrei spinto
avresti spinto
avrebbe spinto
avremmo spinto
avreste spinto
avrebbero spinto

SUBJUNCTIVE

PRESENT
spinga
spinga
spinga
spingiamo
spingiate
spingano

IMPERFECT
spingessi
spingessi
spingesse
spingessimo
spingeste
spingessero

PAST PERFECT
avessi spinto
avessi spinto
avesse spinto
avessimo spinto
aveste spinto
avessero spinto

PASSATO PROSSIMO
abbia spinto etc
see page 25

PRESENT INFINITIVE
spingere

PAST INFINITIVE
aver(e) spinto

GERUND
spingendo

PAST PARTICIPLE
spinto

IMPERATIVE

spingi
spinga
spingiamo
spingete
spingano

SPORGERE *to stick out, to protrude*

INDICATIVE

PRESENT
sporgo
sporgi
sporge
sporgiamo
sporgete
sporgono

PASSATO REMOTO
sporsi
sporgesti
sporse
sporgemmo
sporgeste
sporsero

PAST ANTERIOR
ebbi sporto etc
see page 25

FUTURE
sporgerò
sporgerai
sporgerà
sporgeremo
sporgerete
sporgeranno

PASSATO PROSSIMO
ho sporto
hai sporto
ha sporto
abbiamo sporto
avete sporto
hanno sporto

IMPERFECT
sporgevo
sporgevi
sporgeva
sporgevamo
sporgevate
sporgevano

PAST PERFECT
avevo sporto
avevi sporto
aveva sporto
avevamo sporto
avevate sporto
avevano sporto

FUTURE PERFECT
avrò sporto etc
see page 25

CONDITIONAL

PRESENT
sporgerei
sporgeresti
sporgerebbe
sporgeremmo
sporgereste
sporgerebbero

PAST
avrei sporto
avresti sporto
avrebbe sporto
avremmo sporto
avreste sporto
avrebbero sporto

SUBJUNCTIVE

PRESENT
sporga
sporga
sporga
sporgiamo
sporgiate
sporgano

IMPERFECT
sporgessi
sporgessi
sporgesse
sporgessimo
sporgeste
sporgessero

PAST PERFECT
avessi sporto
avessi sporto
avesse sporto
avessimo sporto
aveste sporto
avessero sporto

PASSATO PROSSIMO
abbia sporto etc
see page 25

PRESENT INFINITIVE
sporgere

PAST INFINITIVE
aver(e) sporto

GERUND
sporgendo

PAST PARTICIPLE
sporto

IMPERATIVE

sporgi
sporga
sporgiamo
sporgete
sporgano

STARE to be, to stand

INDICATIVE

PRESENT
sto
stai
sta
stiamo
state
stanno

FUTURE
starò
starai
starà
staremo
starete
staranno

IMPERFECT
stavo
stavi
stava
stavamo
stavate
stavano

PASSATO REMOTO
stetti
stesti
stette
stemmo
steste
stettero

PASSATO PROSSIMO
sono stato/a
sei stato/a
è stato/a
siamo stati/e
siete stati/e
sono stati/e

PAST PERFECT
ero stato/a
eri stato/a
era stato/a
eravamo stati/e
eravate stati/e
erano stati/e

PAST ANTERIOR
fui stato/a etc
see page 93

FUTURE PERFECT
sarò stato/a etc
see page 93

CONDITIONAL

PRESENT
starei
staresti
starebbe
staremmo
stareste
starebbero

PAST
sarei stato/a
saresti stato/a
sarebbe stato/a
saremmo stati/e
sareste stati/e
sarebbero stati/e

SUBJUNCTIVE

PRESENT
stia
stia
stia
stiamo
stiate
stiano

IMPERFECT
stessi
stessi
stesse
stessimo
steste
stessero

PAST PERFECT
fossi stato/a
fossi stato/a
fosse stato/a
fossimo stati/e
foste stati/e
fossero stati/e

PASSATO PROSSIMO
sia stato/a etc
see page 93

PRESENT INFINITIVE
stare

PAST INFINITIVE
esser(e) stato/a/i/e

GERUND
stando

PAST PARTICIPLE
stato/a/i/e

IMPERATIVE

sta/stai/sta'
stia
stiamo
state
stiano

NOTES

1 MEANING

to be, to stand, to be located; to suit, to fit *(of clothing)*; to stay, to remain; to obey *(rules)*; to be up to

2 CONSTRUCTIONS WITH PREPOSITIONS

stare a casa/a tavola/a letto	to be at home/at the table/in bed
stare da qualcuno	to stay with *(someone)*
stare a + *noun*	to obey, to respect *(rules etc)*
stare a qualcuno	to be up to someone
stare per + *infinitive*	to be about to *(do something)*
stare con + *noun/pronoun*	to live with, to side with, to be with
stare su	to stand up, to sit up straight; to be up, to stay awake

3 GRAMMATICAL INFORMATION

A common application of **stare** is in the construction **stare** + *gerund* which corresponds to the progressive tenses in English; **stare a** + *infinitive* emphasizes the duration or the intensity of an action; **stare per** + *infinitive* indicates an imminent action:

sono stato/a male tutta la notte	I was ill all night
sono stato/a a leggere tutto il giorno	I have been reading all day
sta studiando	he/she is studying
stava per uscire	he/she was about to go out

4 PHRASES AND IDIOMS

sta' zitto/a!	shut up!
dobbiamo stare in guardia	we must be on our guard
come stai? - sto bene	how are you? - I'm fine
dove sta la mia penna?	where is my pen?
il rosso ti sta male	red does not suit you
questo vestito mi sta stretto	this dress is too tight for me

STRINGERE to clasp, to grip, to hold tight

INDICATIVE

PRESENT
stringo
stringi
stringe
stringiamo
stringete
stringono

FUTURE
stringerò
stringerai
stringerà
stringeremo
stringerete
stringeranno

IMPERFECT
stringevo
stringevi
stringeva
stringevamo
stringevate
stringevano

PASSATO REMOTO
strinsi
stringesti
strinse
stringemmo
stringeste
strinsero

PASSATO PROSSIMO
ho stretto
hai stretto
ha stretto
abbiamo stretto
avete stretto
hanno stretto

PAST PERFECT
avevo stretto
avevi stretto
aveva stretto
avevamo stretto
avevate stretto
avevano stretto

PAST ANTERIOR
ebbi stretto etc
see page 25

FUTURE PERFECT
avrò stretto etc
see page 25

CONDITIONAL

PRESENT
stringerei
stringeresti
stringerebbe
stringeremmo
stringereste
stringerebbero

PAST
avrei stretto
avresti stretto
avrebbe stretto
avremmo stretto
avreste stretto
avrebbero stretto

IMPERATIVE
stringi
stringa
stringiamo
stringete
stringano

SUBJUNCTIVE

PRESENT
stringa
stringa
stringa
stringiamo
stringiate
stringano

IMPERFECT
stringessi
stringessi
stringesse
stringessimo
stringeste
stringessero

PAST PERFECT
avessi stretto
avessi stretto
avesse stretto
avessimo stretto
aveste stretto
avessero stretto

PASSATO PROSSIMO
abbia stretto etc
see page 25

PRESENT INFINITIVE
stringere

PAST INFINITIVE
aver(e) stretto

GERUND
stringendo

PAST PARTICIPLE
stretto

STUDIARE to study

INDICATIVE

PRESENT
studio
studi
studia
studiamo
studiate
studiano

FUTURE
studierò
studierai
studierà
studieremo
studierete
studieranno

IMPERFECT
studiavo
studiavi
studiava
studiavamo
studiavate
studiavano

PASSATO REMOTO
studiai
studiasti
studiò
studiammo
studiaste
studiarono

PASSATO PROSSIMO
ho studiato
hai studiato
ha studiato
abbiamo studiato
avete studiato
hanno studiato

PAST PERFECT
avevo studiato
avevi studiato
aveva studiato
avevamo studiato
avevate studiato
avevano studiato

PAST ANTERIOR
ebbi studiato etc
see *page 25*

FUTURE PERFECT
avrò studiato etc
see *page 25*

CONDITIONAL

PRESENT
studierei
studieresti
studierebbe
studieremmo
studiereste
studierebbero

PAST
avrei studiato
avresti studiato
avrebbe studiato
avremmo studiato
avreste studiato
avrebbero studiato

SUBJUNCTIVE

PRESENT
studi
studi
studi
studiamo
studiate
studino

IMPERFECT
studiassi
studiassi
studiasse
studiassimo
studiaste
studiassero

PAST PERFECT
avessi studiato
avessi studiato
avesse studiato
avessimo studiato
aveste studiato
avessero studiato

PASSATO PROSSIMO
abbia studiato etc
see *page 25*

PRESENT INFINITIVE
studiare

PAST INFINITIVE
aver(e) studiato

GERUND
studiando

PAST PARTICIPLE
studiato

IMPERATIVE
studia
studi
studiamo
studiate
studino

SUCCEDERE to come after, to happen

INDICATIVE

PRESENT
succedo
succedi
succede
succediamo
succedete
succedono

FUTURE
succederò
succederai
succederà
succederemo
succederete
succederanno

IMPERFECT
succedevo
succedevi
succedeva
succedevamo
succedevate
succedevano

PASSATO REMOTO
successi/succedetti*
succedesti
successe/succedette*
succedemmo
succedeste
successero/succedettero*

PASSATO PROSSIMO
sono successo/a
sei successo/a
è successo/a
siamo successi/e
siete successi/e
sono successi/e

PAST PERFECT
ero successo/a
eri successo/a
era successo/a
eravamo successi/e
eravate successi/e
erano successi/e

PAST ANTERIOR
fui successo/a
see page 93

FUTURE PERFECT
sarò successo/a
see page 93

CONDITIONAL

PRESENT
succederei
succederesti
succederebbe
succederemmo
succedereste
succederebbero

PAST
sarei successo/a
saresti successo/a
sarebbe successo/a
saremmo successi/e
sareste successi/e
sarebbero successi/e

SUBJUNCTIVE

PRESENT
succeda
succeda
succeda
succediamo
succediate
succedano

IMPERFECT
succedessi
succedessi
succedesse
succedessimo
succedeste
succedessero

PAST PERFECT
fossi successo/a
fossi successo/a
fosse successo/a
fossimo successi/e
foste successi/e
fossero successi/e

PASSATO PROSSIMO
sia successo/a etc
see page 93

PRESENT INFINITIVE
succedere

PAST INFINITIVE
esser(e) successo/a/i/e

GERUND
succedendo

PAST PARTICIPLE
successo/a/i/e

IMPERATIVE
succedi
succeda
succediamo
succedete
succedano

Note: the past participle **succeduto** may be used when **succedere** means "to come after", but not when it means "to happen"; *these forms may be used when it means "to come after", but not "to happen"

INDICATIVE

PRESENT
taccio
taci
tace
tacciamo
tacete
tacciono

FUTURE
tacerò
tacerai
tacerà
taceremo
tacerete
taceranno

IMPERFECT
tacevo
tacevi
taceva
tacevamo
tacevate
tacevano

PASSATO REMOTO
tacqui
tacesti
tacque
tacemmo
taceste
tacquero

PASSATO PROSSIMO
ho taciuto
hai taciuto
ha taciuto
abbiamo taciuto
avete taciuto
hanno taciuto

PAST PERFECT
avevo taciuto
avevi taciuto
aveva taciuto
avevamo taciuto
avevate taciuto
avevano taciuto

PAST ANTERIOR
ebbi taciuto etc
see *page 25*

FUTURE PERFECT
avrò taciuto etc
see *page 25*

CONDITIONAL

PRESENT
tacerei
taceresti
tacerebbe
taceremmo
tacereste
tacerebbero

PAST
avrei taciuto
avresti taciuto
avrebbe taciuto
avremmo taciuto
avreste taciuto
avrebbero taciuto

SUBJUNCTIVE

PRESENT
taccia
taccia
taccia
tacciamo
tacciate
tacciano

IMPERFECT
tacessi
tacessi
tacesse
tacessimo
taceste
tacessero

PAST PERFECT
avessi taciuto
avessi taciuto
avesse taciuto
avessimo taciuto
aveste taciuto
avessero taciuto

PASSATO PROSSIMO
abbia taciuto etc
see *page 25*

PRESENT INFINITIVE
tacere

PAST INFINITIVE
aver(e) taciuto

GERUND
tacendo

PAST PARTICIPLE
taciuto

IMPERATIVE
taci
taccia
tacciamo
tacete
tacciano

TENERE to hold

INDICATIVE

PRESENT
tengo
tieni
tiene
teniamo
tenete
tengono

FUTURE
terrò
terrai
terrà
terremo
terrete
terranno

IMPERFECT
tenevo
tenevi
teneva
tenevamo
tenevate
tenevano

PASSATO REMOTO
tenni
tenesti
tenne
tenemmo
teneste
tennero

PASSATO PROSSIMO
ho tenuto
hai tenuto
ha tenuto
abbiamo tenuto
avete tenuto
hanno tenuto

PAST PERFECT
avevo tenuto
avevi tenuto
aveva tenuto
avevamo tenuto
avevate tenuto
avevano tenuto

PAST ANTERIOR
ebbi tenuto etc
see page 25

FUTURE PERFECT
avrò tenuto etc
see page 25

CONDITIONAL

PRESENT
terrei
terresti
terrebbe
terremmo
terreste
terrebbero

PAST
avrei tenuto
avresti tenuto
avrebbe tenuto
avremmo tenuto
avreste tenuto
avrebbero tenuto

SUBJUNCTIVE

PRESENT
tenga
tenga
tenga
teniamo
teniate
tengano

IMPERFECT
tenessi
tenessi
tenesse
tenessimo
teneste
tenessero

PAST PERFECT
avessi tenuto
avessi tenuto
avesse tenuto
avessimo tenuto
aveste tenuto
avessero tenuto

PASSATO PROSSIMO
abbia tenuto etc
see page 25

PRESENT INFINITIVE
tenere

PAST INFINITIVE
aver(e) tenuto

GERUND
tenendo

PAST PARTICIPLE
tenuto

IMPERATIVE

tieni
tenga
teniamo
tenete
tengano

NOTES

1 MEANING

to hold, to take *(in one's hand)*, to keep, to wear, to hold back, to give

2 CONSTRUCTIONS WITH PREPOSITIONS

tenere per qualcuno/qualcosa	to be on someone's side, to back someone/something up
tenersi a + *noun*	to keep to, to abide by
tenere a + *noun/infinitive*	to care a lot about

3 PHRASES AND IDIOMS

tiene la borsa in mano	he/she is holding the briefcase in his/her hand
tieni!	take this!
dobbiamo tenerlo d'occhio	we must keep an eye on it
tenga pure il resto	keep the change
puoi tenere un segreto?	can you keep a secret?
il professore ha tenuto una conferenza su Leopardi	the professor gave a lecture on Leopardi
tenere la destra	keep to the right
ci tengo molto	I care a lot about it
gli piace tenere banco	he likes to be the centre of attention
tieni conto di questo	take this into consideration
devi tenermi informato	you must keep me informed
tieni le mani a posto!	keep your hands to yourself!
tieni a mente questa proposta	keep this proposal in mind

TOCCARE to touch, to concern

INDICATIVE

PRESENT
tocco
tocchi
tocca
tocchiamo
toccate
toccano

PASSATO REMOTO
toccai
toccasti
toccò
toccammo
toccaste
toccarono

PAST ANTERIOR
ebbi toccato etc
see page 25

FUTURE
toccherò
toccherai
toccherà
toccheremo
toccherete
toccheranno

PASSATO PROSSIMO
ho toccato
hai toccato
ha toccato
abbiamo toccato
avete toccato
hanno toccato

IMPERFECT
toccavo
toccavi
toccava
toccavamo
toccavate
toccavano

PAST PERFECT
avevo toccato
avevi toccato
aveva toccato
avevamo toccato
avevate toccato
avevano toccato

FUTURE PERFECT
avrò toccato etc
see page 25

CONDITIONAL

PRESENT
toccherei
toccheresti
toccherebbe
toccheremmo
tocchereste
toccherebbero

PAST
avrei toccato
avresti toccato
avrebbe toccato
avremmo toccato
avreste toccato
avrebbero toccato

IMPERATIVE
tocca
tocchi
tocchiamo
toccate
tocchino

SUBJUNCTIVE

PRESENT
tocchi
tocchi
tocchi
tocchiamo
tocchiate
tocchino

IMPERFECT
toccassi
toccassi
toccasse
toccassimo
toccaste
toccassero

PAST PERFECT
avessi toccato
avessi toccato
avesse toccato
avessimo toccato
aveste toccato
avessero toccato

PASSATO PROSSIMO
abbia toccato etc
see page 25

PRESENT INFINITIVE
toccare

PAST INFINITIVE
aver(e) toccato

GERUND
toccando

PAST PARTICIPLE
toccato

INDICATIVE

PRESENT
torco
torci
torce
torciamo
torcete
torcono

FUTURE
torcerò
torcerai
torcerà
torceremo
torcerete
torceranno

IMPERFECT
torcevo
torcevi
torceva
torcevamo
torcevate
torcevano

PASSATO REMOTO
torsi
torcesti
torse
torcemmo
torceste
torsero

PASSATO PROSSIMO
ho torto
hai torto
ha torto
abbiamo torto
avete torto
hanno torto

PAST PERFECT
avevo torto
avevi torto
aveva torto
avevamo torto
avevate torto
avevano torto

PAST ANTERIOR
ebbi torto etc
see page 25

FUTURE PERFECT
avrò torto etc
see page 25

CONDITIONAL

PRESENT
torcerei
torceresti
torcerebbe
torceremmo
torcereste
torcerebbero

PAST
avrei torto
avresti torto
avrebbe torto
avremmo torto
avreste torto
avrebbero torto

SUBJUNCTIVE

PRESENT
torca
torca
torca
torciamo
torciate
torcano

IMPERFECT
torcessi
torcessi
torcesse
torcessimo
torceste
torcessero

PAST PERFECT
avessi torto
avessi torto
avesse torto
avessimo torto
aveste torto
avessero torto

PAST
abbia torto etc
see page 25

PRESENT INFINITIVE
torcere

PAST INFINITIVE
aver(e) torto

GERUND
torcendo

PAST PARTICIPLE
torto

IMPERATIVE
torci
torca
torciamo
torcete
torcano

TRARRE to draw, to drag

INDICATIVE

PRESENT
traggo
trai
trae
traiamo
traete
traggono

FUTURE
trarrò
trarrai
trarrà
trarremo
trarrete
trarranno

IMPERFECT
traevo
traevi
traeva
traevamo
traevate
traevano

PASSATO REMOTO
trassi
traesti
trasse
traemmo
traeste
trassero

PASSATO PROSSIMO
ho tratto
hai tratto
ha tratto
abbiamo tratto
avete tratto
hanno tratto

PAST PERFECT
avevo tratto
avevi tratto
aveva tratto
avevamo tratto
avevate tratto
avevano tratto

PAST ANTERIOR
ebbi tratto etc
see page 25

FUTURE PERFECT
avrò tratto etc
see page 25

CONDITIONAL

PRESENT
trarrei
trarresti
trarrebbe
trarremmo
trarreste
trarrebbero

PAST
avrei tratto
avresti tratto
avrebbe tratto
avremmo tratto
avreste tratto
avrebbero tratto

SUBJUNCTIVE

PRESENT
tragga
tragga
tragga
traiamo
traiate
traggano

IMPERFECT
traessi
traessi
traesse
traessimo
traeste
traessero

PAST PERFECT
avessi tratto
avessi tratto
avesse tratto
avessimo tratto
aveste tratto
avessero tratto

PASSATO PROSSIMO
abbia tratto etc
see page 25

PRESENT INFINITIVE
trarre

PAST INFINITIVE
aver(e) tratto

GERUND
traendo

PAST PARTICIPLE
tratto

IMPERATIVE
trai
tragga
traiamo
traete
traggano

INDICATIVE

PRESENT
odo
odi
ode
udiamo
udite
odono

FUTURE
udirò
udirai
udirà
udiremo
udirete
udiranno

IMPERFECT
udivo
udivi
udiva
udivamo
udivate
udivano

PASSATO REMOTO
udii
udisti
udì
udimmo
udiste
udirono

PASSATO PROSSIMO
ho udito
hai udito
ha udito
abbiamo udito
avete udito
hanno udito

PAST PERFECT
avevo udito
avevi udito
aveva udito
avevamo udito
avevate udito
avevano udito

PAST ANTERIOR
ebbi udito etc
see page 25

FUTURE PERFECT
avrò udito etc
see page 25

CONDITIONAL

PRESENT
udirei
udiresti
udirebbe
udiremmo
udireste
udirebbero

PAST
avrei udito
avresti udito
avrebbe udito
avremmo udito
avreste udito
avrebbero udito

SUBJUNCTIVE

PRESENT
oda
oda
oda
udiamo
udiate
odano

IMPERFECT
udissi
udissi
udisse
udissimo
udiste
udissero

PAST PERFECT
avessi udito
avessi udito
avesse udito
avessimo udito
aveste udito
avessero udito

PASSATO PROSSIMO
abbia udito etc
see page 25

PRESENT INFINITIVE
udire

PAST INFINITIVE
aver(e) udito

GERUND
udendo

PAST PARTICIPLE
udito

IMPERATIVE

odi
oda
udiamo
udite
odano

USCIRE to go out

INDICATIVE

PRESENT
esco
esci
esce
usciamo
uscite
escono

FUTURE
uscirò
uscirai
uscirà
usciremo
uscirete
usciranno

IMPERFECT
uscivo
uscivi
usciva
uscivamo
uscivate
uscivano

PASSATO REMOTO
uscii
uscisti
uscì
uscimmo
usciste
uscirono

PASSATO PROSSIMO
sono uscito/a
sei uscito/a
è uscito/a
siamo usciti/e
siete usciti/e
sono usciti/e

PAST PERFECT
ero uscito/a
eri uscito/a
era uscito/a
eravamo usciti/e
eravate usciti/e
erano usciti/e

PAST ANTERIOR
fui uscito/a etc
see page 93

FUTURE PERFECT
sarò uscito/a etc
see page 93

CONDITIONAL

PRESENT
uscirei
usciresti
uscirebbe
usciremmo
uscireste
uscirebbero

PAST
sarei uscito/a
saresti uscito/a
sarebbe uscito/a
saremmo usciti/e
sareste usciti/e
sarebbero usciti/e

IMPERATIVE

esci
esca
usciamo
uscite
escano

SUBJUNCTIVE

PRESENT
esca
esca
esca
usciamo
usciate
escano

IMPERFECT
uscissi
uscissi
uscisse
uscissimo
usciste
uscissero

PAST PERFECT
fossi uscito/a
fossi uscito/a
fosse uscito/a
fossimo usciti/e
foste usciti/e
fossero usciti/e

PASSATO PROSSIMO
sia uscito/a etc
see page 93

PRESENT INFINITIVE
uscire

PAST INFINITIVE
esser(e) uscito/a/i/e

GERUND
uscendo

PAST PARTICIPLE
uscito/a/i/e

NOTES

1 MEANING

to go out, to leave, to exit, to come out, to withdraw, to get out of

2 CONSTRUCTIONS WITH PREPOSITIONS

uscire di casa	to leave the house
uscire per + *noun*	to get out through, to go out through
uscire a/per + *infinitive*	to go out to *(do something)*
uscire con qualcuno	to go out with someone

3 PHRASES AND IDIOMS

non farti uscire una parola di bocca!	don't say a word!
mi esce dagli occhi!	I'm fed up!, I've had enough!
la lettera mi è uscita di mano	the letter slipped out of my hand
esco un momento e torno	I'm going out for a minute and then I'll be right back
è uscito dall'ospedale ieri	he was discharged from hospital yesterday
il fumo esce dalla finestra	smoke is coming out of the window
esce dalla migliore università italiana	he/she has been educated at the best Italian university
è uscito il sole	the sun has come out
usciamo a passeggio?	shall we go out for a walk?
la rivista esce mensilmente	the magazine comes out monthly

VALERE to be worth

INDICATIVE

PRESENT
valgo
vali
vale
valiamo
valete
valgono

FUTURE
varrò
varrai
varrà
varremo
varrete
varranno

IMPERFECT
valevo
valevi
valeva
valevamo
valevate
valevano

PASSATO REMOTO
valsi
valesti
valse
valemmo
valeste
valsero

PASSATO PROSSIMO
sono valso/a
sei valso/a
è valso/a
siamo valsi/e
siete valsi/e
sono valsi/e

PAST PERFECT
ero valso/a
eri valso/a
era valso/a
eravamo valsi/e
eravate valsi/e
erano valsi/e

PAST ANTERIOR
fui valso/a etc
see page 93

FUTURE PERFECT
sarò valso/a etc
see page 93

CONDITIONAL

PRESENT
varrei
varresti
varrebbe
varremmo
varreste
varrebbero

PAST
sarei valso/a
saresti valso/a
sarebbe valso/a
saremmo valsi/e
sareste valsi/e
sarebbero valsi/e

SUBJUNCTIVE

PRESENT
valga
valga
valga
valiamo
valiate
valgano

IMPERFECT
valessi
valessi
valesse
valessimo
valeste
valessero

PAST PERFECT
fossi valso/a
fossi valso/a
fosse valso/a
fossimo valsi/e
foste valsi/e
fossero valsi/e

PASSATO PROSSIMO
sia valso/a etc
see page 93

PRESENT INFINITIVE
valere

PAST INFINITIVE
esser(e) valso/a/i/e

GERUND
valendo

PAST PARTICIPLE
valso/a/i/e

IMPERATIVE

INDICATIVE

PRESENT
valuto
valuti
valuta
valutiamo
valutate
valutano

FUTURE
valuterò
valuterai
valuterà
valuteremo
valuterete
valuteranno

IMPERFECT
valutavo
valutavi
valutava
valutavamo
valutavate
valutavano

PASSATO REMOTO
valutai
valutasti
valutò
valutammo
valutaste
valutarono

PASSATO PROSSIMO
ho valutato
hai valutato
ha valutato
abbiamo valutato
avete valutato
hanno valutato

PAST PERFECT
avevo valutato
avevi valutato
aveva valutato
avevamo valutato
avevate valutato
avevano valutato

PAST ANTERIOR
ebbi valutato etc
see page 25

FUTURE PERFECT
avrò valutato etc
see page 25

CONDITIONAL

PRESENT
valuterei
valuteresti
valuterebbe
valuteremmo
valutereste
valuterebbero

PAST
avrei valutato
avresti valutato
avrebbe valutato
avremmo valutato
avreste valutato
avrebbero valutato

SUBJUNCTIVE

PRESENT
valuti
valuti
valuti
valutiamo
valutiate
valutino

IMPERFECT
valutassi
valutassi
valutasse
valutassimo
valutaste
valutassero

PAST PERFECT
avessi valutato
avessi valutato
avesse valutato
avessimo valutato
aveste valutato
avessero valutato

PASSATO PROSSIMO
abbia valutato etc
see page 25

PRESENT INFINITIVE
valutare

PAST INFINITIVE
aver(e) valutato

GERUND
valutando

PAST PARTICIPLE
valutato

IMPERATIVE
valuta
valuti
valutiamo
valutate
valutino

INDICATIVE

PRESENT
vedo
vedi
vede
vediamo
vedete
vedono

FUTURE
vedrò
vedrai
vedrà
vedremo
vedrete
vedranno

IMPERFECT
vedevo
vedevi
vedeva
vedevamo
vedevate
vedevano

PASSATO REMOTO
vidi
vedesti
vide
vedemmo
vedeste
videro

PASSATO PROSSIMO
ho visto/veduto
hai visto/veduto
ha visto/veduto
abbiamo visto/veduto
avete visto/veduto
hanno visto/veduto

PAST PERFECT
avevo visto/veduto
avevi visto/veduto
aveva visto/veduto
avevamo visto/veduto
avevate visto/veduto
avevano visto/veduto

PAST ANTERIOR
ebbi visto/veduto etc
see page 25

FUTURE PERFECT
avrò visto/veduto etc
see page 25

CONDITIONAL

PRESENT
vedrei
vedresti
vedrebbe
vedremmo
vedreste
vedrebbero

PAST
avrei visto/veduto
avresti visto/veduto
avrebbe visto/veduto
avremmo visto/veduto
avreste visto/veduto
avrebbero visto/veduto

SUBJUNCTIVE

PRESENT
veda
veda
veda
vediamo
vediate
vedano

IMPERFECT
vedessi
vedessi
vedesse
vedessimo
vedeste
vedessero

PAST PERFECT
avessi visto/veduto
avessi visto/veduto
avesse visto/veduto
avessimo visto/veduto
aveste visto/veduto
avessero visto/veduto

PASSATO PROSSIMO
abbia visto/veduto etc
see page 25

PRESENT INFINITIVE
vedere

PAST INFINITIVE
aver(e) visto/veduto

GERUND
vedendo

PAST PARTICIPLE
visto/veduto

IMPERATIVE

vedi
veda
vediamo
vedete
vedano

NOTES

1 MEANING

to see, to catch sight of, to try, to decide, to understand, to meet

2 CONSTRUCTIONS WITH PREPOSITIONS

vedere di + *infinitive*	to try to *(do something)*

3 GRAMMATICAL INFORMATION

Note that **vedere** has two interchangeable past participles, **visto** and **veduto**:

l'ho visto/veduto ieri	I saw him yesterday

4 PHRASES AND IDIOMS

Giorgio non ci vede da un occhio	Giorgio is blind in one eye
questo non ha nulla a che vedere con lui	this has got nothing to do with him
vedere per credere!	seeing is believing!
il duomo è da vedere	the cathedral is worth seeing
non vedo l'ora di tornare in Italia	I am looking forward to returning to Italy
vedremo!	we'll see!
ci vediamo!	be seeing you!, so long!
quei due non si possono vedere	those two can't stand each other
lo vedo di buon occhio	I approve of him/it
secondo il mio modo di vedere	in my opinion, as I see things
ha visto la luce nel 1990	he/she was born in 1990
guarda chi si vede!	look who's here!
vedo bene la difficoltà	I understand the difficulty
veda Lei!	you decide!

INDICATIVE

PRESENT
vengo
vieni
viene
veniamo
venite
vengono

FUTURE
verrò
verrai
verrà
verremo
verrete
verranno

IMPERFECT
venivo
venivi
veniva
venivamo
venivate
venivano

PASSATO REMOTO
venni
venisti
venne
venimmo
veniste
vennero

PASSATO PROSSIMO
sono venuto/a
sei venuto/a
è venuto/a
siamo venuti/e
siete venuti/e
sono venuti/e

PAST PERFECT
ero venuto/a
eri venuto/a
era venuto/a
eravamo venuti/e
eravate venuti/e
erano venuti/e

PAST ANTERIOR
fui venuto/a etc
see page 93

FUTURE PERFECT
sarò venuto/a etc
see page 93

CONDITIONAL

PRESENT
verrei
verresti
verrebbe
verremmo
verreste
verrebbero

PAST
sarei venuto/a
saresti venuto/a
sarebbe venuto/a
saremmo venuti/e
sareste venuti/e
sarebbero venuti/e

SUBJUNCTIVE

PRESENT
venga
venga
venga
veniamo
veniate
vengano

IMPERFECT
venissi
venissi
venisse
venissimo
veniste
venissero

PAST PERFECT
fossi venuto/a
fossi venuto/a
fosse venuto/a
fossimo venuti/e
foste venuti/e
fossero venuti/e

PASSATO PROSSIMO
sia venuto/a etc
see page 93

PRESENT INFINITIVE
venire

PAST INFINITIVE
esser(e) venuto/a/i/e

GERUND
venendo

PAST PARTICIPLE
venuto/a/i/e

IMPERATIVE

vieni
venga
veniamo
venite
vengano

NOTES

1 MEANING

to come, to arrive, to turn out, to come out, to come to, to cost

2 CONSTRUCTIONS WITH PREPOSITIONS

venire a + *infinitive*	to come and *(do something)*
venire da + *noun/location*	to come from
venire a + *noun*	to come to, to reach
venire di + *day of the week*	to fall on
venire su	to grow, to come up

3 GRAMMATICAL INFORMATION

Note that **venire** can act as a quasi-auxiliary verb with simple tenses:
venire + past participle = passive form:

non è venuto nessuno	nobody came
viene considerata la migliore nel campo	she is considered the best in her field

4 PHRASES AND IDIOMS

sono venuto a sapere la verità	I came to know the truth
veniamo al dunque!	let's get to the point!
venire a patti con il nemico	to come to terms with the enemy
non ti viene in mente nessun posto dove potremmo andare?	could you think of a place where we can go?
nostro figlio è venuto al mondo ieri	our son was born yesterday
sono venuti alle mani	they came to blows
mi è venuto incontro	he/she came towards me
mi viene da piangere	I feel like crying
quanto viene?	how much does it cost?, how much is it?

VINCERE to win, to beat

INDICATIVE

PRESENT
vinco
vinci
vince
vinciamo
vincete
vincono

FUTURE
vincerò
vincerai
vincerà
vinceremo
vincerete
vinceranno

IMPERFECT
vincevo
vincevi
vinceva
vincevamo
vincevate
vincevano

PASSATO REMOTO
vinsi
vincesti
vinse
vincemmo
vinceste
vinsero

PASSATO PROSSIMO
ho vinto
hai vinto
ha vinto
abbiamo vinto
avete vinto
hanno vinto

PAST PERFECT
avevo vinto
avevi vinto
aveva vinto
avevamo vinto
avevate vinto
avevano vinto

PAST ANTERIOR
ebbi vinto etc
see page 25

FUTURE PERFECT
avrò vinto etc
see page 25

CONDITIONAL

PRESENT
vincerei
vinceresti
vincerebbe
vinceremmo
vincereste
vincerebbero

PAST
avrei vinto
avresti vinto
avrebbe vinto
avremmo vinto
avreste vinto
avrebbero vinto

SUBJUNCTIVE

PRESENT
vinca
vinca
vinca
vinciamo
vinciate
vincano

IMPERFECT
vincessi
vincessi
vincesse
vincessimo
vinceste
vincessero

PAST PERFECT
avessi vinto
avessi vinto
avesse vinto
avessimo vinto
aveste vinto
avessero vinto

PASSATO PROSSIMO
abbia vinto etc
see page 25

PRESENT INFINITIVE
vincere

PAST INFINITIVE
aver(e) vinto

GERUND
vincendo

PAST PARTICIPLE
vinto

IMPERATIVE
vinci
vinca
vinciamo
vincete
vincano

INDICATIVE

PRESENT
vivo
vivi
vive
viviamo
vivete
vivono

FUTURE
vivrò
vivrai
vivrà
vivremo
vivrete
vivranno

IMPERFECT
vivevo
vivevi
viveva
vivevamo
vivevate
vivevano

PASSATO REMOTO
vissi
vivesti
visse
vivemmo
viveste
vissero

PASSATO PROSSIMO
sono vissuto/a
sei vissuto/a
è vissuto/a
siamo vissuti/e
siete vissuti/e
sono vissuti/e

PAST PERFECT
ero vissuto/a
eri vissuto/a
era vissuto/a
eravamo vissuti/e
eravate vissuti/e
erano vissuti/e

PAST ANTERIOR
fui vissuto/a etc
see page 93

FUTURE PERFECT
sarò vissuto/a etc
see page 93

CONDITIONAL

PRESENT
vivrei
vivresti
vivrebbe
vivremmo
vivreste
vivrebbero

PAST
sarei vissuto/a
saresti vissuto/a
sarebbe vissuto/a
saremmo vissuti/e
sareste vissuti/e
sarebbero vissuti/e

SUBJUNCTIVE

PRESENT
viva
viva
viva
viviamo
viviate
vivano

IMPERFECT
vivessi
vivessi
vivesse
vivessimo
viveste
vivessero

PAST PERFECT
fossi vissuto/a
fossi vissuto/a
fosse vissuto/a
fossimo vissuti/e
foste vissuti/e
fossero vissuti/e

PASSATO PROSSIMO
sia vissuto/a etc
see page 93

PRESENT INFINITIVE
vivere

PAST INFINITIVE
esser(e) vissuto/a/i/e

GERUND
vivendo

PAST PARTICIPLE
vissuto/a/i/e

IMPERATIVE
vivi
viva
viviamo
vivete
vivano

INDICATIVE

PRESENT
voglio
vuoi
vuole
vogliamo
volete
vogliono

FUTURE
vorrò
vorrai
vorrà
vorremo
vorrete
vorranno

IMPERFECT
volevo
volevi
voleva
volevamo
volevate
volevano

PASSATO REMOTO
volli
volesti
volle
volemmo
voleste
vollero

PASSATO PROSSIMO
ho voluto
hai voluto
ha voluto
abbiamo voluto
avete voluto
hanno voluto

PAST PERFECT
avevo voluto
avevi voluto
aveva voluto
avevamo voluto
avevate voluto
avevano voluto

PAST ANTERIOR
ebbi voluto etc
see page 25

FUTURE PERFECT
avrò voluto etc
see page 25

CONDITIONAL

PRESENT
vorrei
vorresti
vorrebbe
vorremmo
vorreste
vorrebbero

PAST
avrei voluto
avresti voluto
avrebbe voluto
avremmo voluto
avreste voluto
avrebbero voluto

SUBJUNCTIVE

PRESENT
voglia
voglia
voglia
vogliamo
vogliate
vogliano

IMPERFECT
volessi
volessi
volesse
volessimo
voleste
volessero

PAST PERFECT
avessi voluto
avessi voluto
avesse voluto
avessimo voluto
aveste voluto
avessero voluto

PASSATO PROSSIMO
abbia voluto etc
see page 25

PRESENT INFINITIVE
volere

PAST INFINITIVE
aver(e) voluto

GERUND
volendo

PAST PARTICIPLE
voluto

IMPERATIVE

NOTES

1 MEANING

to want, to wish, to like, to mean, to be willing, to expect, to require

2 CONSTRUCTIONS WITH PREPOSITIONS

volere as a modal auxiliary verb is not used with prepositions; it is used with other verbs in the infinitive. Note, however, the construction **volere bene/male a qualcuno**:

volere bene a qualcuno	to love someone, to be fond of someone
volere male a qualcuno	to dislike someone

3 GRAMMATICAL INFORMATION

When used as a modal verb in compound tenses **volere** adopts as its auxiliary verb the auxiliary required by the infinitive that follows it. When used by itself, **volere** takes **avere** as its auxiliary in compound tenses:

sono voluto/a venire	I wanted to come
ho voluto mangiare una pizza	I wanted to eat a pizza
non ha voluto niente	he/she did not want anything

4 PHRASES AND IDIOMS

ci vorrà molto tempo per finire?	will it take long to finish?
vorrei un po' di pace	I would like a bit of peace and quiet
fa' come vuoi	do as you wish
volevo chiamarti	I meant to phone/call you
cosa vuoi che faccia?	what do you expect me to do?
se Dio vuole	God willing
vuole continua assistenza	he/she requires constant care
che cosa vuol dire questa parola?	what does this word mean?
l'ho fatto senza volere	I did it unintentionally/accidentally
volere è potere	where there's a will there's a way

INDEX

1. The verbs which are conjugated in full in the verb tables may be used as models for all the verbs listed in the Index. The cross-reference number given in the Index relates to the verb table bearing that number.

2. The verbs highlighted in bold and italic are conjugated in full in the verb tables.

3. Occasionally, indexed verbs may be capable of conjugation according to more than one model (or indeed to a mixture of two models); in these cases two cross-reference numbers are given. Where appropriate, reflexive verbs have been cross-referenced to reflexive model verbs; where the cross-referenced model is not itself reflexive, the reader should remember to add the necessary reflexive pronouns. As a general rule, the auxiliary verb of the model verbs will also apply to the indexed verbs, but the reader should be aware that certain verbs may vary their specific meaning by varying their auxiliary. In cases of doubt, the reader should refer to an authoritative dictionary. Some verbs, especially verbs of weather, are defective (ie they lack certain forms). In these cases, the reader is referred to the verb **piovere** as a suitable indicator of those forms which do exist.

4. * in the index indicates that the verb table is accompanied by notes on grammar and usage for the verb.

A

abbaiare 185
abbandonare 140
abbassare 140
abbattere 42
abbonarsi 12
abbondare 140
abbottonare 140
abbracciare 43
abbreviare 185
abbronzarsi 12
abitare 1
abituare 140
abolire 97
aborrire 97 & 176
abusare 140
accadere 32
accantonare 140
accarezzare 140
accecare 32
accelerare 140
accendere 2
accennare 140
accertare 3
accesi see accendere
acceso see accendere
accettare 3
acchiudere 39
accingersi 72
acclimatarsi 12
accludere 39
accogliere 40
accomodarsi 4
accompagnare 118
acconsentire 176
accontentare 140
accordarsi 12
accorgersi 5
accorrere 56
accorsi see accorgersi
accorto see accorgersi
accostare 57
accrescere 60
accusare 6
acquistare 3
adattare 140
addebitare 140
addestrare 140
addivenire 197
addizionare 140
addolorare 140
addormentare 140
addurre 47
adeguare 140
adempiere 44
adempire 97
aderire 97
adire 97
adoperare 140
adorare 140
adottare 140
adulare 140
affacciarsi 43
affamare 13
affannare 140
affascinare 140
affaticare 36
affermare 140
afferrare 140
affezionarsi 12
affibbiare 185
affidare 140
affiggere 7
affinare 140
affissi see affiggere
affisso see affiggere
affittare 8
affliggere 9
afflissi see affliggere
afflitto see affliggere
affluire 97
affogare 137
affollare 140
affondare 140
affrancare 36
affrescare 36
affrettarsi 12

affrontare 140
aggiornare 140
aggirare 140
aggiungere 106
aggiustare 140
aggrapparsi 12
aggredire 97
agire 10
agitare 140
aiutare 11
allacciare 43
allagare 137
allargare 137
allenare 140
allettare 140
allevare 140
alloggiare 124
allontanare 140
alludere 39
allungare 137
alterare 140
alternare 140
alzarsi 12
amare 13
amareggiare 124
ambientare 140
ammalarsi 12
ammazzare 140
ammettere 126
ammirare 140
ammobiliare 185
ammogliarsi 185
ammonire 97
ammucchiare 185
andare 14 *
angosciare 119
animare 140
annaffiare 185
annegare 137
annettere 48
annoiare 185
annullare 140
annunciare 43
annunziare 185
annusare 140
ansimare 140
anteporre 149
anticipare 140
apersi *see* aprire
aperto *see* aprire
appagare 137
appaltare 140
appannare 140
apparecchiare 185
apparire 15
appartenere 188
appassionare 140
appendere 71
appesantire 97
applaudire 97 & 176
applicare 36
appoggiare 124
apporre 149
apprendere 154
appressare 140
apprestare 140
apprezzare 140
approdare 140
approfittare 140
approfondire 97
appropriare 185
approssimare 140
approvare 140
appuntare 140
appurare 140
aprire 16
arare 140
arbitrare 140
archiviare 185
ardere 17
ardire 97
arenarsi 12
argomentare 140
arieggiare 124
armare 140
armeggiare 124
armonizzare 140
aromatizzare 140

arrabbiarsi 185
arrampicarsi 36
arrancare 36
arrangiarsi 124
arrecare 36
arredare 140
arrendersi 157
arrestare 140
arretrare 140
arricchire 97
arricciare 43
arridere 159
arrischiare 185
arrivare 18
arrossire 97
arrostire 97
arrotare 150
arrotolare 140
arrotondare 140
arrovellarsi 140
arrovesciare 119
arrugginirsi 97
arsi see ardere
arso see ardere
articolare 140
ascendere 170
asciugare 19
ascoltare 20
ascrivere 172
asfissiare 185
aspergere 86
aspettare 21
aspirare 140
asportare 150
assaggiare 124
assalire 167
assaltare 150
assaporare 140
assassinare 140
assecondare 140
assediare 185
assegnare 115
assentarsi 12
assentire 176
asserire 97
asservire 97
assicurare 140
assillare 140
assimilare 140
assistere 89
associare 43
assodare 140
assoggettare 150
assolvere 165
assomigliare 185
assopire 97
assorbire 97 & 176
assordare 140
assorgere 182
assortire 97
assottigliare 185
assuefare 94
assuefarsi 94
assumere 22
assunsi see assumere
assunto see assumere
astenersi 188
astrarre 191
atomizzare 140
attaccare 36
attardarsi 12
atteggiare 124
attendere 2
attenere 188
attentare 150
attenuare 140
atterrare 140
atterrire 97
attestare 150
attingere 72
attirare 140
attivare 140
attizzare 140
attorcigliare 185
attorniare 185
attraccare 36
attraversare 23
attrezzare 140

attribuire 97
attuare 140
attutire 97
augurare 140
aumentare 24
auspicare 36
autenticare 36
automatizzare 140
autorizzare 140
avanzare 140
avariare 185
avere 25 *
avvampare 140
avvantaggiare 124
avvedersi 196
avvenire 197
avventare 150
avventurarsi 12
avverarsi 12
avvertire 79
avvezzarsi 12
avviare 185
avvicinare 140
avvilire 97
avviluppare 140
avvincere 198
avvinghiare 185
avvisare 140
avvitare 150
avvolgere 26
azionare 140
azzardare 140
azzeccare 36
azzerare 140

B

baciare 27
badare 140
bagnare 28
balbettare 21
balenare 140
ballare 140
baloccare 36
balzare 140
bandire 97
barare 140
barattare 150
barbugliare 185
barcamenarsi 12
barcollare 140
baruffare 140
basare 140
bastare 150
battagliare 185
battere 42
battezzare 140
battibeccare 36
bazzicare 36
bearsi 12
beatificare 36
beccare 36
beffeggiare 124
belare 140
bendare 140
benedire 73
beneficare 36
beneficiare 43
bere 29
bersagliare 185
bestemmiare 185
bevo *see* bere
bevuto *see* bere
bevvi *see* bere
biasimare 140
biforcare 36
bighellonare 140
bilanciare 43
biondeggiare 124
bisbigliare 185
bisognare 115
bisticciare 43
bivaccare 36
blandire 97
bloccare 36
boccheggiare 124
bocciare 43
boicottare 150

bollare 140
bollire 30
bombardare 140
bonificare 36
borbottare 150
bordare 140
bramare 140
brandire 97
brillantare 150
brillare 140
brinare 140
brindare 140
brontolare 140
brucare 36
bruciare 43
brulicare 36
bucare 36
bucherellare 140
buffoneggiare 124
burlarsi 12
burocratizzare 140
buscare 36
bussare 31
buttare 150

C

cacciare 43
caddi see cadere
cadere 32 *
calare 140
calciare 43
calcolare 140
calmare 140
calpestare 150
calzare 140
cambiare 33
camminare 34
campare 140
cancellare 140
cantare 150
capire 35
capitare 150
capovolgere 26
caricare 36
cascaré 36
catturare 140
causare 140
cavare 140
cedere 158
celebrare 140
cenare 140
cercare 36
cessare 140
cestinare 140
chiacchierare 140
chiamare 37
chiarire 97
chiedere 38
chiesi see chiedere
chiesto see chiedere
chinare 140
chiudere 39
chiusi see chiudere
chiuso see chiudere
cingere 72
circolare 140
circoncidere 65
circondare 140
circondurre 47
circoscrivere 172
citare 150
coccolare 140
cociuto see cuocere
coesistere 89
cogliere 40
coincidere 112
coinvolgere 26
colgo see cogliere
collaborare 140
collegare 137
collocare 36
colmare 140
colpire 41
colsi see cogliere
coltivare 140
colto see cogliere
comandare 140

combattere 42
combinare 140
cominciare 43 *
commentare 150
commettere 126
commuovere 130
comparire 15
compatire 97
compensare 140
compiacere 146
compiacersi 146
compiangere 147
compiere 44
compii, compiei *see* compiere
compire 97
completare 150
complicare 36
comporre 149
comportare 150
comprare 45
comprendere 154
comprimere 92
compromettere 126
comunicare 36
concedere 46
concepire 97
concessi *see* concedere
concesso *see* concedere
conciare 43
conciliare 185
concludere 88
concorrere 56
condannare 140
condensare 140
condire 97
condiscendere 170
condividere 80
condurre 47
confarsi 94
conferire 97
confermare 95
confessare 140
confidare 140
configgere 7
confinare 140
confondere 98
confortare 150
confrontare 150
congedare 140
congelare 140
congiungere 106
congratularsi 12
conguagliare 185
coniugare 137
connettere 48
conobbi *see* conoscere
conoscere 49
conosciuto *see* conoscere
conquistare 150
consacrare 140
consegnare 115
conseguire 175
consentire 176
conservare 140
considerare 67
consigliare 50
consistere 89
consolare 140
constatare 150
consultare 150
consumare 140
contagiare 124
contare 51
contemplare 140
contendere 68
contenere 188
contentare 150
contestare 150
continuare 52
contorcere 190
contraccambiare 33
contraddire 73
contraddistinguere 76
contraffare 94
contrapporre 149
contrarre 191
contrastare 150
contrattare 150

contravvenire 197
contribuire 97
controllare 53
convenire 197
convergere 86
conversare 140
convertire 176
convincere 198
convivere 199
copersi see coprire
coperto see coprire
copiare 185
coprire 54
coricare 36
correggere 55
correre 56 *
corressi see correggere
corretto see correggere
corrispondere 164
corrodere 165
corrompere 166
corsi see correre
corso see correre
cospargere 178
cossi see cuocere
costare 57
costituire 97
costringere 184
costruire 58
cotto see cuocere
creare 140
crebbi see crescere
credere 59 *
credetti see credere
cremare 140
crepare 140
crescere 60
cresciuto see crescere
criticare 36
crocifiggere 7
crollare 140
cucinare 61
cucire 62
cuocere 63
curare 140
curiosare 140
curvare 140
custodire 97

D

dannare 140
danneggiare 124
danzare 140
dardeggiare 124
dare 64 *
datare 150
dattilografare 140
daziare 185
debbo see dovere
debilitare 150
decadere 32
decaffeinizzare 140
decantare 150
decapitare 150
decedere 158
decidere 65
decisi see decidere
deciso see decidere
decollare 140
decomporre 149
decorrere 56
decrescere 60
dedicare 36
dedurre 47
definire 97
deformare 140
degenerare 140
deglutire 97
degnare 115
delirare 140
deludere 88
demolire 97
demoralizzare 140
denuclearizzare 140
denunciare 43
denunziare 185
deodorare 140

deporre 149
depositare 150
deprimere 92
depurare 140
deragliare 185
deridere 159
derivare 140
derubare 140
descrissi see descrivere
descritto see descrivere
descrivere 66
desiderare 67
designare 115
desistere 89
destare 150
destinare 140
desumere 22
detenere 188
detergere 86
determinare 140
detestare 150
detrarre 191
detronizzare 140
dettare 150
detti see dare
detto see dire
deturpare 140
deviare 117
devo see dovere
devolvere 163
dichiarare 140
dico see dire
diedi see dare
difendere 68
difesi see difendere
difeso see difendere
differire 97
diffidare 140
diffondere 98
digerire 97
digitare 117
dilagare 137
dilatare 150
diluviare 185
dimagrire 97
dimenticare 69
dimettere 126
dimezzare 140
diminuire 70
dimorare 140
dimostrare 140
dipendere 71
dipesi see dipendere
dipeso see dipendere
dipingere 72
dipinsi see dipingere
dipinto see dipingere
dire 73 *
diressi see dirigere
diretto see dirigere
dirigere 74
dirottare 150
disapprendere 154
disarmare 140
discendere 170
dischiudere 39
disciogliere 40
disconoscere 49
discorrere 56
discussi see discutere
discusso see discutere
discutere 75
disdire 73
disegnare 115
disfare 94
disgiungere 106
disilludere 88
disinfettare 150
disonorare 140
disperare 140
disperdere 144
dispiacere 146
disporre 149
disprezzare 140
disputare 150
disseminare 140
dissentire 176
dissetarsi 12

dissi see dire
dissolvere 163
dissuadere 145
distaccare 36
distendere 180
distinguere 76
distinsi see distinguere
distinto see distinguere
distogliere 40
distrarre 191
distribuire 97
distruggere 77
distrussi see distruggere
distrutto see distruggere
disturbare 140
divenire 197
diventare 78
divergere 86
divertirsi 79
dividere 80
divisi see dividere
diviso see dividere
divorziare 185
dolere 81
dolgo see dolere
dolsi see dolere
domandare 82
domare 140
dominare 140
donare 140
dormire 83
dovere 84* *
dovetti see dovere
dubitare 150
durare 85

E

ebbi see avere
eccedere 186
eccepire 97
eccettuare 140
eccitare 150
echeggiare 124
eclissare 140
economizzare 140
edificare 36
educare 36
effettuare 140
effigiare 124
effondere 98
eguagliare 185
elaborare 140
elargire 97
eleggere 122
elencare 36
elettrificare 36
elevare 140
elidere 159
eliminare 140
elogiare 124
elucubrare 140
eludere 88
emancipare 140
emarginare 140
emendare 140
emergere 86
emersi see emergere
emerso see emergere
emettere 126
emigrare 140
emozionare 140
empire 160
emulsionare 140
encomiare 185
entrare 87
entusiasmare 140
enucleare 140
enunciare 43
epurare 140
equilibrare 140
equipaggiare 124
equiparare 155
equivalere 194
equivocare 36
erborizzare 140
ereditare 150
erigere 74

erogare 137
erompere 166
erpicare 36
errare 140
erudire 97
eruttare 150
esagerare 140
esalare 140
esaltare 150
esaminare 140
esasperare 140
esaudire 97
esaurire 97
esclamare 140
escludere 88
esclusi *see* escludere
escluso *see* escludere
esco *see* uscire
escoriare 185
escutere 75
esecrare 140
eseguire 175
esemplificare 36
esercitare 150
esibire 97
esilarare 140
esiliare 185
esistere 89
esitare 90
esonerare 140
esorbitare 150
esorcizzare 140
esordire 97
esortare 150
espatriare 185
espellere 91
esperimentare 150
esperire 97
espiare 117
espirare 140
espletare 150
esplodere 165
esplorare 140
esporre 149
esportare 150
espressi *see* esprimere
espresso *see* esprimere
esprimere 92
espropriare 185
espugnare 115
espulsi *see* espellere
espulso *see* espellere
espungere 106
espurgare 137
essere 93* *
essiccare 36
estasiare 185
estendere 180
estenuare 140
esternare 140
estinguere 76
estirpare 140
estorcere 190
estradare 140
estrapolare 140
estrarre 191
estrinsecare 36
estromettere 126
esulare 140
esumare 140
eternare 140
etichettare 150
europeizzare 140
evacuare 140
evadere 116
evangelizzare 140
evaporare 140
evidenziare 185
evitare 150
evocare 36

F

fabbricare 36
faccio *see* fare
facilitare 150
falciare 43
falcidiare 185

fallire 97
falsare 140
falsificare 36
familiarizzare 140
fantasticare 36
farcire 97
fare 94 *
farfugliare 185
farneticare 36
fasciare 119
fascinare 140
faticare 36
fatto see fare
fatturare 140
favellare 140
favoreggiare 124
favorire 97
feci see fare
fecondare 140
feltrare 140
fendere 59
ferire 97
fermare 95
fermentare 150
ferrare 140
fertilizzare 140
festeggiare 124
fiaccare 36
fiammeggiare 124
fiancheggiare 124
fiatare 150
ficcare 36
fidanzarsi 12
fidare 140
fidarsi 12
figurarsi 12
filare 140
filettare 150
filmare 140
filtrare 140
finanziare 185
fingere 96
finire 97 *
finsi see fingere
finto see fingere
fioccare 36
fiorettare 150
fiorire 97
fiottare 150
firmare 140
fischiare 185
fischiettare 150
fissare 140
fiutare 150
flagellare 140
flettere 161
flottare 150
fluire 97
fluitare 150
fluttuare 140
focalizzare 140
foderare 140
foggiare 124
folgorare 140
fomentare 150
fondare 140
fondere 98
forare 140
forbire 97
forgiare 124
formare 140
formicolare 140
formulare 140
fornire 99
fortificare 36
forviare 117
forzare 100
fossilizzare 140
fotografare 140
fracassare 140
fraintendere 180
frammentare 150
frammettere 126
frammezzare 140
frammischiare 185
franare 140
frangere 147
frantumare 140

frapporre 149
frascheggiare 124
fraseggiare 124
frastagliare 185
frastornare 140
fraternizzare 140
fratturare 140
frazionare 140
freddare 140
fregare 137
fregiare 124
fremere 59
frenare 140
frequentare 150
friggere 9
frizionare 140
frizzare 140
fronteggiare 124
frugare 137
frullare 140
frusciare 119
frustare 150
frustrare 140
fruttare 150
fruttificare 36
fucilare 140
fucinare 140
fugare 137
fuggire 101
fui *see* essere
fulminare 140
fumare 102
fumeggiare 124
funestare 150
fungere 106
funzionare 140
fuoriuscire 193
fustigare 137

G

gabbare 140
gabellare 140
galleggiare 124
gallonare 140
galoppare 140
galvanizzare 140
garantire 97
garbare 140
gareggiare 124
gargarizzare 140
garrire 97
gassare 140
gattonare 140
gelare 140
gelificare 36
gemere 59
geminare 140
gemmare 140
generalizzare 140
generare 140
genuflettersi 161
germinare 140
germogliare 185
gessare 140
gesticolare 140
gestire 97
gettare 103
gettonare 140
ghermire 97
ghiacciare 43
giaccio *see* giacere
giacere 104
giaciuto *see* giacere
giacqui *see* giacere
giganteggiare 124
gingillarsi 12
giocare 105
giocherellare 140
giovare 140
girandolare 140
girare 140
girellare 140
gironzolare 140
giubilare 140
giudicare 36
giungere 106
giunsi *see* giungere

giuntare 150
giunto see giungere
giuoco see giocare
giurare 140
giustapporre 149
giustificare 36
giustiziare 185
glassare 140
gloriarsi 185
glossare 140
gocciolare 140
godere 107
godetti see godere
gommare 140
gonfiare 185
gongolare 140
gorgheggiare 124
gorgogliare 185
governare 140
gozzovigliare 185
gracchiare 185
gracidare 140
gradire 97
graduare 140
graffare 140
graffiare 185
graffire 97
grandeggiare 124
grandinare 140
graticciare 43
gratificare 36
grattare 150
grattugiare 124
graziare 185
gremire 97
gridare 140
grippare 140
grondare 140
grugnire 97
guadagnare 115
guaire 97
gualcire 97
guardare 108
guarire 97
guarnire 97
guastare 109
guerreggiare 124
guidare 140
guizzare 140
gustare 150

H

handicappare 140
ho see avere

I

ideare 140
ignorare 140
illudere 88
illuminare 140
illustrare 140
imballare 140
imbarazzare 140
imbarcare 36
imbiancare 36
imboccare 36
imbottire 97
imbrattare 150
imbrogliare 185
imbucare 36
imitare 150
immaginare 140
immergere 86
immettere 126
impacchettare 150
impadronirsi 97
impallidire 97
impallinare 140
impaperarsi 12
imparare 110
impartire 97
impastare 150
impaurire 97
impazzire 97
impedire 111
impegnare 115

impiccare 36
impicciare 43
impiegare 137
impietosire 97
implorare 140
imporre 149
importare 150
imprecare 36
imprendere 154
impressionare 140
imprestare 150
imprimere 92
improvvisare 140
imputare 150
inaugurare 140
incalzare 140
incamminarsi 34
incantare 150
incaricare 36
incartare 150
incassare 140
incastrare 140
incendiare 185
incentivare 140
inchinarsi 12
inchiodare 140
inciampare 140
incidere 112
incitare 150
includere 88
incominciare 43
incontrare 113
incoraggiare 124
incorrere 56
incrinare 140
incrociare 43
incutere 75
indagare 137
indebolire 97
indicare 36
indietreggiare 124
indignare 115
indire 73
indirizzare 140
indisporre 149
individuare 140
indossare 140
indovinare 140
indurre 47
industrializzare 140
infastidire 97
inferire 114
infersi see inferire
inferto see inferire
infierire 97
infiggere 7
infilare 140
infliggere 9
influire 97
infondere 98
informare 140
infortunarsi 12
infrangere 147
infuriare 185
ingannare 140
ingelosire 97
ingessare 140
inghiottire 97 & 176
inginocchiarsi 185
ingiungere 106
ingoiare 140 & 185
ingombrare 140
ingrandire 97
ingrassare 140
inibire 97
iniettare 150
iniziare 185
innalzare 12
innamorarsi 12
inoltrare 140
inondare 140
inquietare 150
inquinare 140
insegnare 115
inseguire 175
inserire 97
insidiare 185
insinuare 140

insistere 89
insorgere 182
insospettire 97
installare 140
intascare 36
integrare 140
intendere 180
intenerire 97
intensificare 36
intentare 150
intercalare 140
intercedere 59
intercettare 150
intercorrere 56
interdire 73
interessare 140
interferire 97
interiorizzare 140
interloquire 97
internarsi 12
internazionalizzare 140
interpellare 140
interporre 149
interpretare 150
interrare 140
interrogare 137
interrompere 166
intervenire 197
intervistare 150
intessere 59
intestare 150
intiepidire 97
intimare 140
intimidire 97
intimorire 97
intingere 72
intirizzire 97
intitolare 140
intonacare 36
intonare 140
intontire 97
intorbidare 140
intorpidire 97
intossicare 36
intralciare 43
intrappolare 140
intraprendere 154
intrattenere 188
intravedere 196
intrecciare 43
intricare 36
intridere 159
intrigare 137
intristire 97
introdurre 47
intromettersi 126
intronare 140
intrudere 39
intrufolarsi 12
intuire 97
inumare 140
inumidire 97
inurbarsi 12
invadere 116
invaghirsi 97
invalidare 140
invasare 140
invasi see invadere
invaso see invadere
invecchiare 185
inveire 97
inventare 150
invertire 176
investigare 137
investire 176
inviare 117
invidiare 185
invigorire 97
invischiarsi 185
invitare 150
invocare 36
invogliare 185
involare 140
involgere 26
inzeppare 140
inzuppare 140
ipotecare 36
ipotizzare 140

ironizzare 140
irradiare 185
irridere 159
irrigare 137
irritare 150
irrompere 166
iscrivere 172
isolare 140
ispezionare 140
ispirare 140
issare 140
istigare 137
istituire 97
istruire 97
istupidire 97

L

laccare 36
lacerare 140
lacrimare 140
lagnarsi 118
laicizzare 140
lambiccare 36
lambire 97
lamentarsi 12
laminare 140
lampeggiare 124
lanciare 43
languire 97 & 176
lapidare 140
lardellare 140
largare 137
lasciare 119
lastricare 36
latineggiare 124
latrare 140
laurearsi 12
lavarsi 120
lavoracchiare 185
lavorare 140
leccare 36
ledere 121
legare 137
leggere 122
legittimare 140
lenire 97
lesi *see* ledere
lesinare 140
leso *see* ledere
lessare 140
lessi *see* leggere
letto *see* leggere
levare 140
levigare 137
levitare 150
libare 140
liberare 140
librarsi 12
licenziare 185
lievitare 150
limare 140
limitare 150
limonare 140
linciare 43
liofilizzare 140
liquidare 140
lisciare 119
listare 150
litigare 137
litografare 140
livellare 140
localizzare 140
locare 36
lodare 140
logorare 140
lordare 140
lottare 150
lottizzare 140
lubrificare 36
luccicare 36
lucidare 140
lucrare 140
lumeggiare 124
lusingare 137
lustrare 140

M

macchiare 185
macchiettare 150
macchinare 140
macellare 140
macerare 140
macinare 140
maggiorare 140
magnetizzare 140
magnificare 36
maledire 73
malignare 115
malmenare 140
maltrattare 150
malversare 140
mancare 36
mandare 123
manducare 36
maneggiare 124
manganellare 140
mangiare 124
mangiucchiare 185
manifestare 150
manipolare 140
manomettere 126
manovrare 140
mantecare 36
mantenere 188
manualizzare 140
marcare 36
marchiare 185
marciare 43
marcire 97
mareggiare 124
marginare 140
marinare 140
maritarsi 12
marmorizzare 140
martellare 140
martirizzare 140
mascherare 140
mascolinizzare 140
massacrare 140
massaggiare 124
massificare 36
masticare 36
materializzare 140
mattonare 140
maturare 140
meccanizzare 140
mediare 185
medicare 36
meditare 150
memorizzare 140
menare 140
mendicare 36
menomare 140
mentire 125
menzionare 140
meravigliare 185
mercanteggiare 124
meritare 150
mescolare 140
mesmerizzare 140
messo see mettere
mestare 150
mesticare 36
metamorfosare 140
mettere 126 *
miagolare 140
microfilmare 140
mietere 59
migliorare 140
migrare 140
militare 150
militarizzare 140
millantare 150
mimare 140
mimetizzare 140
minacciare 43
minare 140
minchionare 140
miniare 185
miniaturizzare 140
minimizzare 140
mirare 140
miscelare 140

mischiare 185
misconoscere 49
misi see mettere
missare 140
mistificare 36
misurare 140
mitigare 137
mitizzare 140
mitragliare 185
mobiliare 185
mobilitare 150
modanare 140
modellare 140
moderare 140
modernizzare 140
modificare 36
modulare 140
molare 140
molestare 150
mollare 140
molleggiare 124
moltiplicare 36
mondare 140
monopolizzare 140
montare 150
moraleggiare 124
moralizzare 140
mordere 127
mordicchiare 185
morire 128
mormorare 140
morsi see mordere
morsicare 36
morso see mordere
mortificare 36
morto see morire
mossi see muovere
mosso see muovere
mostrare 129
motivare 140
motorizzare 140
motteggiare 124
movimentare 150
mozzare 140
muffire 97
muggire 97 & 176
mugolare 140
mulinare 140
mungere 106
municipalizzare 140
munire 97
muovere 130
murare 140
musicare 36
mussare 140
mutare 150
mutilare 140
mutuare 140

N

nacqui see nascere
narrare 140
nascere 131
nascondere 132
nascosi see nascondere
nascosto see nascondere
nato see nascere
naturalizzare 140
naufragare 137
nauseare 140
navigare 137
nazionalizzare 140
nebulizzare 140
necessitare 150
negare 137
negligere 74
negoziare 185
nereggiare 124
nettare 150
neutralizzare 140
nevicare 133
nidificare 36
ninnare 140
ninnolarsi 12
nitrire 97
nobilitare 150
noccio see nuocere

nociuto see nuocere
nocqui see nuocere
noleggiare 124
nominare 140
normalizzare 140
notare 150
notificare 36
numerare 140
nuocere 134
nuotare 150
nutrire 97 & 176

O

obbligare 137
obiettare 150
obliterare 140
occasionare 140
occhieggiare 124
occludere 88
occorrere 56
occultare 150
occupare 140
odiare 185
odo see udire
odorare 140
offendere 135
offersi see offrire
offerto see offrire
offesi see offendere
offeso see offendere
offrire 136
offuscare 36
olezzare 140
oliare 185
oltraggiare 124
ombreggiare 124
omettere 126
omologare 137
ondeggiare 124
ondulare 140
onerare 140
onorare 140
operare 140
opinare 140
opporre 149
opprimere 92
oppugnare 115
optare 150
orbitare 150
ordinare 140
organizzare 140
orientare 150
originare 140
origliare 185
orinare 140
ornare 140
osare 140
oscillare 140
ospitare 150
osservare 140
ostacolare 140
ostentare 150
ostinarsi 12
ottenere 188
otturare 140

P

padroneggiare 124
pagare 137 *
paio see parere
paragonare 138
parare 155
parcheggiare 124
pareggiare 124
parere 139
parlare 140
parso see parere
partecipare 140
parteggiare 124
partire 141
partorire 97
parvi see parere
pascolare 140
passare 142
passeggiare 143
patire 97

peccare 36
pedalare 140
peggiorare 140
pelare 140
penare 140
pendere 71
penetrare 140
pensare 140
pentirsi 79
percorrere 56
percuotere 173
perdere 144
perdonare 140
perire 97
permanere 162
permettere 126
pernottare 150
persi *see* perdere
persistere 89
perso *see* perdere
persuadere 145
persuasi *see* persuadere
persuaso *see* persuadere
pervadere 116
pervenire 197
pervertire 176
pesare 140
pescare 36
pestare 150
pettinare 140
piaccio *see* piacere
piacere 146 *
piaciuto *see* piacere
piacqui *see* piacere
piallare 140
piangere 147
piansi *see* piangere
piantare 150
pianto *see* piangere
piazzare 140
picchiare 185
piegare 137
pigiare 124
pigliare 185
piombare 140
piovere 148
piovigginare 140
piovve *see* piovere
pizzicare 36
poltrire 97
pongo *see* porre
porgere 182
porre 149
portare 150
posare 140
posi *see* porre
possedere 174
posso *see* potere
posto *see* porre
potare 150
potere 151 *
potetti *see* potere
pranzare 152
praticare 36
preannunciare 43
preannunziare 185
preavvisare 140
precedere 59
precipitare 150
precisare 140
precludere 88
preconoscere 49
precorrere 56
precostituire 97
predare 140
predestinare 140
predeterminare 140
predicare 36
prediligere 74
predire 73
predisporre 149
predominare 140
preesistere 89
preferire 153
prefiggere 7
pregare 137
pregiare 124
pregiudicare 36

pregustare 150
prelevare 140
preludere 88
premeditare 150
premere 59
premettere 126
premiare 185
premonire 97
premunire 97
premurarsi 12
prendere 154 *
prenotare 150
preoccupare 140
preordinare 140
preparare 155
preporre 149
presagire 97
prescegliere 169
prescindere 171
prescrivere 172
presentare 150
preservare 140
presi *see* prendere
presiedere 174
preso *see* prendere
pressare 140
prestabilire 97
prestare 150
presumere 22
presupporre 149
pretendere 154
prevalere 194
prevaricare 36
prevedere 196
prevenire 197
primeggiare 124
principiare 185
privare 140
privilegiare 124
procedere 59
processare 140
proclamare 140
procrastinare 140
procreare 140
procurare 140
prodigare 137
produrre 47
profanare 140
proferire 97
profferire 97
profilarsi 12
profittare 150
profondere 98
profumare 140
progettare 150
programmare 140
progredire 97
proibire 97
proiettare 150
proliferare 140
prolungare 137
promettere 126
promulgare 137
promuovere 130
pronosticare 36
pronunciare 43
pronunziare 185
propagandare 140
propagare 137
proporre 149
propugnare 115
prorogare 137
prorompere 166
prosciogliere 40
prosciugare 19
proscrivere 172
proseguire 175
prosperare 140
prospettare 150
prostrarsi 12
proteggere 122
protendere 154
protestare 150
protrarre 191
provare 140
provenire 197
provocare 36
psicanalizzare 140

pubblicare 36
pubblicizzare 140
pugnalare 140
pulire 97
pullulare 140
pulsare 140
pungere 106
pungolare 140
punire 97
puntare 150
punteggiare 124
puntellare 140
puntualizzare 140
punzecchiare 185
purgare 137
purificare 36
putrefare 94
puzzare 140

Q

quadrare 140
quadrettare 150
quadruplicare 36
qualificare 36
quantificare 36
querelare 140
questionare 140
questuare 140
quietare 150
quintuplicare 36
quotare 150
quotizzare 140

R

rabbrividire 97
raccattare 150
racchiudere 39
raccogliere 40
raccomandare 140
raccontare 150
racimolare 140
raddolcire 97
raddoppiare 185
raddrizzare 140
radere 145
radunare 140
raffigurare 140
rafforzare 140
raffreddare 140
raggiungere 106
raggruppare 140
ragionare 140
rallegrare 140
rallentare 150
rammendare 140
rapinare 140
rapire 97
rapprendere 154
rappresentare 150
rassegnarsi 12
rassicurare 140
rassomigliare 185
rattristare 150
ravvisare 140
ravvivare 140
ravvolgere 26
reagire 10
realizzare 140
recapitare 150
recare 36
recidere 112
recitare 150
reclamare 140
recuperare 140
redassi *see* redigere
redatto *see* redigere
redigere 156
regalare 140
reggere 122
registrare 140
regnare 115
regolare 140
remare 140
rendere 157 *
replicare 36
reprimere 92

reputare 150
rescindere 171
resi *see* rendere
resistere 89
reso *see* rendere
respingere 181
respirare 140
restare 18
restituire 97
restringere 184
retribuire 97
retrocedere 46
riaccendere 2
riaccogliere 40
riacquistare 150
rialzare 12
riandare 14
riapparire 15
riaprire 16
riardere 17
riassumere 22
ribellarsi 12
ricadere 32
ricamare 140
ricambiare 33
ricattare 150
ricavare 140
ricercare 36
ricevere 158
ricevetti *see* ricevere
richiamare 37
richiedere 38
richiudere 39
ricominciare 43
ricomparire 15
ricompensare 140
riconciliare 185
ricondurre 47
riconoscere 49
riconquistare 150
riconsegnare 115
ricopiare 185
ricoprire 54
ricordare 140
ricorrere 56
ricostruire 58
ricoverare 140
ricrescere 60
ricuperare 140
ridare 64
ridere 159
ridire 73
ridivenire 197
ridiventare 78
ridividere 80
ridurre 47
rieleggere 122
riemergere 86
riempire 160
rientrare 87
rifare 94
riferire 97
rifinire 97
rifiorire 97
rifiutare 150
riflessi *see* riflettere
riflesso *see* riflettere
riflettere 161
rifondere 98
riformare 140
rifuggire 101
rifugiarsi 124
rigirare 140
rigovernare 140
riguardare 108
rilasciare 119
rilassarsi 12
rilegare 137
rileggere 122
rilevare 140
rimandare 123
rimanere 162
rimango *see* rimanere
rimarginare 140
rimasi *see* rimanere
rimasto *see* rimanere
rimbalzare 140
rimboccare 36

rimborsare 140
rimediare 185
rimettere 126
rimontare 150
rimordere 127
rimpiangere 147
rimproverare 140
rimuovere 130
rinascere 131
rincarare 140
rinchiudere 39
rincorrere 56
rincrescere 60
rinfacciare 43
rinfrescare 36
ringiovanire 97
ringraziare 185
rinnegare 137
rinnovare 140
rintracciare 43
rinunciare 43
rinvenire 197
rinverdire 97
rinviare 117
rinvigorire 97
riordinare 140
ripagare 137
riparare 155
riparlare 140
ripartire 97 & 141
ripassare 142
ripensare 140
ripercuotere 173
ripescare 36
ripetere 59
ripiegare 137
riporre 149
riportare 150
riposare 140
riprendere 154
riprodurre 47
ripromettere 126
riproporre 149
ripulire 97
risalire 167
risarcire 97
riscaldare 140
riscattare 150
rischiarare 140
rischiare 185
riscoprire 54
riscuotere 173
risentire 176
riservare 140
risi *see* ridere
riso *see* ridere
risolsi *see* risolvere
risolto *see* risolvere
risolvere 163
risorgere 182
risparmiare 185
rispecchiare 185
rispettare 150
rispondere 164
risposi *see* rispondere
risposto *see* rispondere
ristabilire 97
ristare 183
ristringere 184
risultare 150
risuonare 140
risuscitare 150
ritardare 140
ritenere 188
ritingere 72
ritirare 140
ritogliere 40
ritorcere 190
ritornare 18
ritrarre 191
ritrattare 150
ritrovare 140
riunire 97
riuscire 193
rivedere 196
rivelare 140
rivendicare 36
riverire 97

rivestire 176
rivincere 198
rivivere 199
rivolgere 26
rivoltare 150
rodere 165
rompere 166
ronzare 140
rosi *see* rodere
roso *see* rodere
rotare 150
rotolare 140
rotto *see* rompere
rovesciare 119
rovinare 140
rubare 140
ruggire 97
ruotare 150
ruppi *see* rompere
russare 140

S

sabbiare 185
sabotare 150
saccheggiare 124
sacramentare 150
sacrificare 36
saettare 150
saggiare 124
sagomare 140
salare 140
salariare 185
saldare 140
salgo *see* salire
salire 167
salmodiare 185
salpare 140
saltare 150
saltellare 140
salutare 150
salvare 140
sanare 140
sanguinare 140
santificare 36
sanzionare 140
sapere 168 *
satinare 140
saziare 185
sbadigliare 185
sbafare 140
sbagliare 185
sbalestrare 140
sbalordire 97
sbalzare 140
sbancare 36
sbandare 140
sbandierare 140
sbaraccare 36
sbarazzare 140
sbarcare 36
sbarrare 140
sbatacchiare 185
sbattere 59
sbavare 140
sbiadire 97
sbiancare 36
sbigottire 97
sbilanciare 43
sbirciare 43
sbizzarrirsi 97
sbloccare 36
sboccare 36
sbocciare 43
sbocconcellare 140
sbollire 30
sborsare 140
sbottare 150
sbottonare 140
sbozzare 140
sbracciare 43
sbraitare 150
sbranare 140
sbrancare 36
sbrattare 150
sbriciolare 140
sbrigare 137
sbrigliare 185

sbrindellare 140
sbrogliare 185
sbronzarsi 12
sbruffare 140
sbucare 36
sbucciare 43
sbuffare 140
scacciare 43
scadere 32
scagionare 140
scagliare 185
scaglionare 140
scalare 140
scaldare 140
scalfire 97
scalmanarsi 12
scalpitare 150
scaltrire 97
scalzare 140
scambiare 33
scampanellare 140
scampare 140
scancellare 140
scandagliare 185
scandalizzare 140
scandire 97
scansare 140
scantonare 140
scapigliare 185
scapolare 140
scappare 140
scapricciarsi 43
scarabocchiare 185
scaraventare 150
scarcerare 140
scaricare 36
scarnire 97
scarrozzare 140
scarrucolare 140
scarseggiare 124
scartare 150
scassare 140
scassinare 140
scatenare 140
scattare 150
scaturire 97
scavalcare 36
scavare 140
scavezzare 140
scazzottarsi 12
scegliere 169
scelgo *see* scegliere
scelsi *see* scegliere
scelto *see* scegliere
scemare 140
scempiare 185
scendere 170
sceneggiare 124
scervellarsi 12
scesi *see* scendere
sceso *see* scendere
schedare 140
scheggiare 124
scheletrire 97
schematizzare 140
schermare 140
schermire 97
schernire 97
scherzare 140
schiacciare 43
schiaffare 140
schiaffeggiare 124
schiamazzare 140
schiantare 150
schiarire 97
schierare 140
schifare 140
schioccare 36
schiudere 39
schiumare 140
schivare 140
schizzare 140
sciacquare 140
scialacquare 140
scialare 140
sciamare 140
sciancare 36
sciare 117

scindere 171
scintillare 140
scioccare 36
sciogliere 40
scioperare 140
sciorinare 140
scippare 140
scissi *see* scindere
scisso *see* scindere
sciupare 140
scivolare 140
scoccare 36
scocciare 43
scodellare 140
scodinzolare 140
scolare 140
scollare 140
scolorire 97
scolpire 41
scombinare 140
scombussolare 140
scommettere 126
scomodare 140
scompaginare 140
scomparire 15
scompartire 97 & 176
scompensare 140
scompigliare 185
scomporre 149
scomunicare 36
sconcertare 150
sconciare 43
sconcordare 140
sconfessare 140
sconficcare 36
sconfiggere 9
sconfinare 140
sconfortare 150
scongelare 140
scongiurare 140
sconnettere 48
sconquassare 140
sconsigliare 50
sconsolare 140
scontare 150
scontentare 150
scontrarsi 12
sconvenire 197
sconvolgere 26
scopare 140
scoperchiare 185
scoppiare 185
scoprire 54
scoraggiare 124
scorciare 43
scordare 140
scorgere 5
scorrazzare 140
scorrere 56
scortare 150
scorticare 36
scossi *see* scuotere
scosso *see* scuotere
scostare 150
scottare 150
scovare 140
scozzare 140
scozzonare 140
screditare 150
scremare 140
screziare 185
scribacchiare 185
scricchiolare 140
scriminare 140
scrissi *see* scrivere
scritto *see* scrivere
scritturare 140
scrivere 172
scroccare 36
scrollare 140
scrosciare 119
scrutare 150
scucire 62
sculacciare 43
scuotere 173
scurire 97
scusare 140
sdaziare 185

sdebitare 150
sdebitarsi 12
sdegnare 115
sdoganare 140
sdoppiare 185
sdraiarsi 185
sdrucciolare 140
sdrucire 97 & 176
seccare 36
secondare 140
sedare 140
sedersi 174
sedetti *see* sedersi
sedurre 47
segare 137
seggo *see* sedersi
segmentare 150
segnalare 140
segnare 115
segregare 137
seguire 175
seguitare 150
selezionare 140
sellare 140
sembrare 18
seminare 140
semplificare 36
sensibilizzare 140
sentenziare 185
sentire 176
separare 155
seppellire 97
seppi *see* sapere
sequestrare 140
serbare 140
serpeggiare 124
serrare 140
servire 176
setacciare 43
seviziare 185
sezionare 140
sfaccendare 140
sfaldare 140
sfamare 140
sfasare 140
sfasciare 119
sfavillare 140
sferzare 140
sfiancare 36
sfiatare 150
sfidare 140
sfiduciarsi 43
sfigurare 140
sfilare 140
sfinire 97
sfiorare 140
sfociare 43
sfoderare 140
sfogare 137
sfoggiare 124
sfogliare 185
sfolgorare 140
sfollare 140
sfondare 140
sformare 140
sfornare 140
sforzare 140
sfrattare 150
sfrecciare 43
sfregare 137
sfregiare 124
sfrenarsi 12
sfruttare 150
sfuggire 101
sfumare 140
sganciare 43
sgarrare 140
sgobbare 140
sgomberare 140
sgonfiare 185
sgranare 140
sgranchire 97
sgridare 140
siedo *see* sedersi
significare 36
singhiozzare 140
sintonizzare 140
sistemare 140

slacciare 43
slanciare 43
slogare 137
sloggiare 124
smacchiare 185
smagrire 97
smaltire 97
smarrire 97
smascherare 140
smentire 97
smettere 126
sminuire 97
smontare 150
smuovere 130
snaturare 140
snobbare 140
snodare 140
so *see* sapere
socchiudere 39
soccorrere 56
soddisfare 94 & 140
soffiare 185
soffocare 36
soffriggere 9
soffrire 136
soggiacere 104
soggiungere 106
sognare 115
sollecitare 150
sollevare 140
somigliare 185
sommare 140
sommergere 86
sommuovere 130
sono *see* essere
sopportare 150
sopprimere 92
sopraffare 94
sopraggiungere 106
sopravvenire 197
sopravvivere 199
soprintendere 180
sorgere 182
sorpassare 142
sorprendere 154
sorreggere 55
sorridere 159
sorseggiare 124
sortire 97 & 176
sorvegliare 185
sorvolare 140
sospendere 71
sospettare 150
sospingere 181
sospirare 140
sostare 150
sostenere 188
sostituire 97
sotterrare 140
sottintendere 180
sottolineare 140
sottomettere 126
sottoporre 149
sottoscrivere 172
sottostare 183
sottrarre 191
sovrapporre 149
sovrastare 183 & 140
sovrintendere 180
sovvenire 197
sovvertire 176
spaccare 36
spacciare 43
spalancare 36
spalare 140
spalmare 140
spandere 177
spanto *see* spandere
sparare 155
sparecchiare 185
spargere 178
sparire 97
sparsi *see* spargere
sparso *see* spargere
spartire 97
spaventare 150
spazzare 140
specchiarsi 185

specializzarsi 12
speculare 140
spedire 97
spegnere 179
spendere 180
spengo *see* spegnere
spensi *see* spegnere
spento *see* spegnere
sperare 140
sperdere 144
sperimentare 150
sperperare 140
spesi *see* spendere
speso *see* spendere
spettare 150
spettinare 140
spezzare 140
spiacere 146
spiare 117
spiccare 36
spicciare 43
spiegare 137
spingere 181
spinsi *see* spingere
spinto *see* spingere
spizzicare 36
splendere 59
spogliare 185
spolverare 140
sporcare 36
sporgere 182
sposare 140
spostare 150
sprecare 36
spremere 59
sprezzare 140
sprofondare 140
spronare 140
spruzzare 140
spuntare 150
sputare 150
squartare 150
squillare 140
sradicare 36
stabilire 97
staccare 36
stampare 140
stanare 140
stancare 36
stappare 140
stare 183 *
starnutire 97
stato *see* essere/stare
stendere 157
stentare 150
sterzare 140
stetti *see* stare
stimare 140
stimolare 140
stipulare 140
stirare 140
stonare 140
storcere 190
stordire 97
stracciare 43
strapazzare 140
strappare 140
stravedere 196
stravincere 198
stravolgere 26
straziare 185
stretto *see* stringere
strillare 140
stringere 184
strinsi *see* stringere
strisciare 119
strizzare 140
strofinare 140
strombazzare 140
stroncare 36
struggere 77
studiare 185
stufare 140
stupefare 94
stupire 97
subire 97
succedere 186
succedetti *see* succedere

successi see succedere
successo see succedere
succhiare 185
sudare 140
suddividere 80
suggerire 97
suicidarsi 12
suonare 140
superare 140
supplicare 36
supplire 97
supporre 149
suscitare 150
susseguire 175
sussistere 89
sussurrare 140
svaligiare 124
svanire 97
svegliare 185
svenire 197
svestire 176
sviluppare 140
svitare 150
svolgere 26

T

tacchettare 150
taccio see tacere
tacere 187
taciuto see tacere
tacqui see tacere
tagliare 185
tagliuzzare 140
tallonare 140
tamburellare 140
tamponare 140
tappare 140
tappezzare 140
tardare 140
tassare 140
tastare 150
telefonare 140
telegrafare 140
temere 59
tendere 154
tenere 188 *
tengo see tenere
tenni see tenere
tentare 150
tergere 86
terminare 140
terrorizzare 140
tessere 59
testimoniare 185
tifare 140
tingere 72
tirare 140
toccare 189
togliere 40
tollerare 140
torcere 190
tormentare 150
tornare 18
torsi see torcere
torto see torcere
torturare 140
tossire 97 & 176
tracciare 43
tradire 97
tradurre 47
trafiggere 9
traggo see trarre
tralasciare 119
tramontare 150
tranquillizzare 140
trapanare 140
trarre 191
trascendere 170
trascinare 140
trascorrere 56
trascrivere 172
trascurare 140
trasferire 97
trasformare 140
trasgredire 97
traslocare 36
trasmettere 126

trasparire 15
trasportare 150
trassi *see* trarre
trattare 150
trattenere 188
tratto *see* trarre
travasare 140
travedere 196
travestire 176
travisare 140
travolgere 26
tremare 140
tritare 150
trovare 140
truccare 36
truffare 140
tuffarsi 12
tuonare 140
turbare 140

U

ubbidire 97
ubicare 36
ubriacarsi 36
uccidere 159
udire 192
ufficiare 43
uggiolare 140
uguagliare 185
ultimare 140
ululare 140
umanizzare 140
umettare 150
umidificare 36
umiliare 185
uncinare 140
ungere 106
unificare 36
unire 97
universalizzare 140
urbanizzare 140
urlare 140
urtare 150
usare 140
uscire 193 *
ustionare 140
usufruire 97
usurpare 140
utilizzare 140

V

vaccinare 140
vacillare 140
vado *see* andare
vagabondare 140
vagare 137
vagheggiare 124
vagliare 185
valere 194
valgo *see* valere
valicare 36
valorizzare 140
valsi *see* valere
valso *see* valere
valutare 195
vanagloriarsi 185
vaneggiare 124
vangare 137
vantare 150
varare 140
varcare 36
variare 185
vedere 196 *
vegliare 185
velare 140
veleggiare 124
vendemmiare 185
vendere 59
vendicare 36
venerare 140
vengo *see* venire
venire 197 *
venni *see* venire
ventilare 140
verbalizzare 140
verdeggiare 124

vergare 137
vergognarsi 12
verificare 36
verniciare 43
versare 140
verseggiare 124
versificare 36
verticalizzare 140
vestirsi 79
vettovagliare 185
vezzeggiare 124
viaggiare 124
vibrare 140
vidi *see* vedere
vietare 150
vigilare 140
vilipendere 71
villeggiare 124
vincere 198
vincolare 140
vinsi *see* vincere
vinto *see* vincere
violare 140
violentare 150
virgolettare 150
visionare 140
visitare 150
vissi *see* vivere
vissuto *see* vivere
vistare 150
visto *see* vedere
visualizzare 140
vituperare 140
vivacchiare 185
vivere 199
vivificare 36
viziare 185
vocalizzare 140
vociare 43
vociferare 140
vogare 137
voglio *see* volere
volare 140
volere 200 *
volgarizzare 140
volgere 26
volli *see* volere
voltare 150
volteggiare 124
voltolare 140
vomitare 150
vorticare 36
votare 150
vulcanizzare 140
vuotare 150

Z

zampare 140
zampillare 140
zangolare 140
zappare 140
zavorrare 140
zigrinare 140
zigzagare 137
zittire 97
zoccolare 140
zoppicare 36
zuccherare 140